французская линия

Издательский дом
«Флюид»

FreeFly™
Москва, 2007

# Anna Gavalda

# Je l'aimais

# Анна Гавальда

# Я ее любил /
# Я его любила

УДК 821.133.1—31
ББК 84(4Фра)—44
    Г12

*Перевод с французского Елены Клоковой*

**Гавальда А.**
Г12    Я ее любил/Я его любила / Пер. с фр. — М.: ИД «Флюид»,
2007. — 160 с. — Французская линия.
ISBN 978—5—98358—152—4

Анна Гавальда (р. 1970) — ярчайшая «звезда французской словесности», чей успех в ряде стран уже затмил пресловутый «Код да Винчи». Ее называют «литературным феноменом», «нежным Уэльбеком» и «новой Франсуазой Саган». Ее книги, покорившие миллионы читателей по всему миру, отмечены целым созвездием литературных премий, переводятся на десятки языков, по ним ставят спектакли и снимают фильмы.

Роман «Я ее любил / Я его любила» — пронзительно грустная и красивая книга о любви, раскрывающая самые острые и потаенные грани этого прекрасного и загадочного чувства. Книга, в «фирменном» авторском стиле сочетающая внешнюю простоту с внутренней глубиной, тонкий психологизм с безукоризненной точностью каждого слова.

УДК 821.133.1—31
ББК 84(4Фра)—44

Подписано в печать 11.12.2006
Формат 76 x 108/32
Усл.-печ. л. 7,6.
Тираж 4800 экз.
Заказ № 3644.

*Посвящается Констанс*

— Что ты сказал?

— Говорю, что немедленно их увезу. Им будет полезно ненадолго уехать...

— Но не сейчас же? — спросила моя свекровь.

— Прямо сейчас.

— Как? Ты же не собираешься...

— Именно что собираюсь.

— Да что все это значит, в конце-то концов? Сейчас почти одиннадцать! Пьер!..

— Сюзанна, я разговариваю с Хлоей. Хлоя, выслушай меня: я хочу увезти вас подальше отсюда. Ты не против?

— ...

— Полагаешь, это неудачная идея?

— Не знаю.

— Иди собирай вещи. Мы уезжаем, как только ты будешь готова.

— Я не хочу возвращаться к себе.

— Ну и не надо. Разберемся на месте.

— Но вы не...

— Хлоя, Хлоя, пожалуйста, доверься мне.

Свекровь не сдавалась:

— Что за безумие? Не станете же вы будить малышек, в такое-то время! В доме не топлено! Там ничего нет! Туда нельзя везти детей! Они...

Он встал.

*

Марион спит на детском сиденье, держа пальчик во рту. Рядом с ней, свернувшись калачиком, спит Люси.

Я смотрю на свекра. Он сидит прямо. Его руки крепко держат руль. Он не произнес ни слова с тех пор, как мы выехали. Время от времени фары встречных машин высвечивают его профиль.

Мне кажется, он так же несчастен, как и я. А еще он очень устал. И разочарован.

Он чувствует мой взгляд:

— Почему не спишь? Ты должна поспать, слышишь? Тебе надо опустить спинку и постараться заснуть. Нам еще ехать и ехать...

— Не могу, — отвечаю я, — вас сторожу.

Он улыбается в ответ. Если *это* можно назвать улыбкой.

— Да нет... часовой сегодня я.

И мы возвращаемся каждый к своим мыслям.

И я плачу, прикрыв лицо руками.

Мы остановились у заправки. Я пользуюсь его отсутствием, чтобы проверить сотовый.

Ни одного сообщения.

Ну конечно.

Какая же я дура.

Дура...

Включаю радио и тут же выключаю.

Он возвращается.

— Будешь выходить? Хочешь чего-нибудь?

Я киваю.

Ошибаюсь кнопкой, стаканчик наполняется какой-то тошнотворной жижей, и я отправляю его в урну.

В магазинчике покупаю памперсы для Люси и зубную щетку для себя.

Он не трогается с места, пока я наконец не соглашаюсь опустить спинку сиденья.

Я открыла глаза, когда он заглушил двигатель.

— Не суетись. Побудь с малышками здесь, пока в машине еще тепло. Я пойду в дом, включу обогреватели в спальне, а потом вернусь за вами.

Снова вопрошаю свой телефон.
В четыре-то утра...
Какая же я дура!

Не могу уснуть.

Вместе с детьми лежу в кровати бабушки Адриана. Кровать ужасно скрипит. Когда-то она была нашей.

Занимаясь любовью, мы изо всех сил старались ее не раскачивать.

Весь дом был в курсе, стоило нам только пошевелить рукой или ногой. Помню намеки Кристин за столом, когда мы спустились вниз в первое утро. Никогда не забуду, как мы краснели, не поднимая глаз от своих тарелок и держась за руки под столом.

Мы хорошо запомнили урок и с тех пор предавались любовным утехам тихо, как мышки.

Я знаю, что он вернется в эту кровать с другой женщиной и, когда их терпенью придет конец, он так же, как некогда со мной, сдернет толстый матрас на пол.

Нас будит Марион. Она прогуливает свою куколку по одеялу, рассказывая ей сказку о сбежавших сосках. Люси трогает меня за ресницы: «У тебя глазки склеились».

Мы одеваемся под одеялами, потому что в комнате слишком холодно.

Стенания кровати девочек смешат.


Свекор разжег в кухне камин. Я вижу его в глубине сада — он набирает дрова из поленницы под навесом.


Мы впервые остались с ним вдвоем.

Я никогда не чувствовала себя уютно в его компании. Он слишком бесстрастный. Слишком молчаливый. Да еще все эти рассказы Адриана о том, как пристально следил за ним отец, каким он был жестким, непримиримым, как легко выходил из себя, как придирался к школьным отметкам.

То же самое и с Сюзанной. Я никогда не замечала какой-либо нежности в их отношениях. «Пьер сдержан, но я знаю, *что* он чувствует ко мне», — сказала мне однажды свекровь, — мы лущили фасоль и говорили о любви.

Я тогда кивала, но не понимала. Я не понимала этого человека, столь скупого на эмоции, подавлявшего все свои чувства. Постоянно держать себя в узде из страха показаться слабым — этого я никогда не могла понять! В моей семье обниматься и целоваться было так же естественно, как дышать.

Помню один бурный вечер на этой кухне... Моя невестка Кристин жаловалась на учителей своих детей: мол, все они некомпетентные и ограниченные. Потом разговор перешел на образование вообще и их с Адрианом в частности. Обстановка мгновенно накалилась. Кухня превратилась в судилище, Адриан и его сестра — в обвинителей, а на скамье подсудимых — их отец. Как тяжело все это было... нет, бомба так и не взорвалась, язвили в меру — так, воткнули друг в друга пару-тройку отравленных шпилек.

Как всегда.

Впрочем, скандала все равно не получилось бы — мой свекор наотрез отказывался выходить на ринг. Он выслушивал колкости своих детей, но никогда на них не отвечал. «Все ваши обвинения отскакивают от меня, как мячик от асфальта!» — так он всегда говорил с улыбкой и удалялся.

Правда, в тот раз спор вышел гораздо более желчным.

У меня в памяти стоит его искаженное лицо и руки, с такой силой сжимающие графин с водой, словно он хотел его раздавить.

Я пыталась представить себе, что бы он мог сказать в ответ, пыталась понять. Что он чувствует на самом деле? О чем он думает, оставаясь один? Что у него на душе?

Выдохшаяся Кристин повернулась ко мне:

— А ты что обо всем этом скажешь, Хлоя?

Я устала, и мне хотелось, чтобы вечер поскорее закончился. С меня хватило этих семейных разборок.

— Я... — задумчиво начала я, — я считаю, что Пьер словно и не живет среди нас, не живет по-настоящему, он похож на марсианина, затерявшегося среди семейства Диппелей...

Все присутствующие пожали плечами и отвернулись. Кроме него.

Он поставил графин на стол, его лицо разгладилось, он улыбнулся мне. *Так* он улыбнулся мне в первый раз. И возможно, в последний. Мне кажется, в тот вечер между нами возникло некое взаимопонимание... Эдакая тонкая ниточка. Я тогда попыталась защитить его, как могла, моего странного седого марсианина, который подходил сейчас к кухонной двери, толкая перед собой тачку с дровами.

— Все в порядке? Тебе не холодно?

— Все хорошо, спасибо, не беспокойтесь.

— А малышки?

— Они смотрят мультики.

— Мультики — в такое время?

— Во время каникул их показывают каждое утро.

— Ага... прекрасно. Ты нашла кофе?

— Да-да, спасибо.

— Кстати, Хлоя... По поводу каникул, ты не должна...

— Позвонить на работу?

— Да, впрочем, не знаю...

— Да-да, я позвоню, я...

Я снова заплакала.

Свекор опустил глаза. И снял перчатки.

— Прости, я вмешиваюсь не в свое дело...

— Да нет, не в том дело, я просто... Чувствую себя потерянной... Я... вы правы, пойду позвоню шефу.

— Кто он, твой начальник?

— Подруга, надеюсь, что подруга, сейчас увидим...

Я забрала волосы старой резиночкой Люси, которую нашла в своем кармане.

— Скажи, что берешь несколько дней отпуска, чтобы ухаживать за злобным свекром... — предложил он.

— Да... За злобным *и* беспомощным. Так будет убедительней.

Он улыбался, дуя на кофе.

Лоры на месте не оказалось. Я пролепетала нечто невнятное ее помощнице, которую ждал вызов по другой линии.

Позвонила домой. Набрала код автоответчика. Ничего не значащие сообщения.

А на что я, собственно, надеялась?

Снова подступили слезы. Мой свекор вошел в комнату и тут же вышел.

Я говорила себе: «Давай, надо выплакаться раз и навсегда. Вылить все слезы, выжать, как губку, мое большое печальное тело и перевернуть страницу. Думать о другом. Идти вперед мелкими шажками и все начать с начала».

Мне повторяли эти слова сотни раз. Думай о другом. Жизнь продолжается. Вспомни о дочерях. Ты не имеешь права так распускаться. Встряхнись.

Да, я знаю, прекрасно все знаю, но поймите же вы — у меня не получается.

Во-первых, что это такое — жить? Что означает это слово?

Мои дети... но что я могу им дать? Маму в депрессии? Перевернутый мир?

Я готова вставать по утрам, одеваться, завтракать, одевать и кормить дочерей, держаться до вечера, укладывать их и целовать на ночь. На это я способна. На это все способны. Но не более того.

Будьте ко мне милосердны.
Не более того.


— Мама!
— Да, — отвечаю я, вытирая нос рукавом.
— Мама!
— Я здесь, здесь...

Люси стояла передо мной в пальто, надетом прямо на ночную рубашку. В руках она крутила Барби, держа ее за волосы.

— Знаешь, что сказал дедушка?
— Что?
— Что мы пойдем в Макдоналдс.
— Не верю!
— А вот и правда! Он сам сказал.
— Когда?
— Сейчас.
— Но я думала, он ненавидит Макдоналдс...
— А вот и не ненавидит! Он сказал — мы пойдем за покупками, а потом в Макдоналдс, все, даже ты, даже Марион, даже я и даже он!


Когда мы поднимались по лестнице, она взяла меня за руку.

— Знаешь, у меня совсем нет одежды. Мы все оставили в Париже...
— И верно, — согласилась я, — мы все там забыли.
— А знаешь, что еще сказал дедушка?
— Нет.

— Он сказал нам с Марион, что купит нам одежду, когда мы пойдем по магазинам. И мы сами все себе выберем...

— Да неужели?

Я переодевала Марион, щекоча ей животик.

Люси сидела на краю кровати и медленно, но неотступно подводила меня к главному.

— И он сказал, что согласен...

— На что?

— На все, что я у него попросила...

Беда!

— А что ты у него попросила?

— Одежду для Барби.

— Одежду для твоей Барби?

— Для Барби и для меня. Одинаковую!

— Ты имеешь в виду эти ужасные сверкающие майки?

— Да, а еще розовые джинсы, и розовые тапочки с Барби, и носки с маленьким бантиком... Вот здесь... Сзади...

Она показала место на лодыжке.

Я закончила с Марион.

— Зззаммечаательно! — воскликнула я. — Ты будешь неповторрриммма!!!

Ее маленький ротик скривился.

— Тебе все красивое не нравится...

Я засмеялась и расцеловала ее чудную мордашку.

Она надевала платье и мечтала вслух.

— Я буду очень красивая, правда?

— Ты уже красивая, крошка, очень, очень красивая.

— Да, но тогда я буду совсем...

— Думаешь, такое возможно?

Она задумалась.

— Наверное, думаю, да...

— Тогда повернись.

Девочки, какая же это прелесть, думала я, причесывая Люси, какая прелесть...

Пока мы стояли в очереди к кассам, мой свекор признался, что уже лет десять не был в супермаркете.

Я подумала о Сюзанне.

Вечно одна со своей тележкой.

Повсюду и всегда одна.


Съев наггетсы, девочки отправились играть в комнату, полную разноцветных шаров. Молодой человек попросил их снять обувь, и я держала на коленях чудовищные кроссовки Люси «*You're a Barbie girl!*»[1].

Самым ужасным была прозрачная платформа...

— Как вы могли купить подобную мерзость!

— Ей они так понравились... Я стараюсь не повторять прежних ошибок с новым поколением... Взять, к примеру, это заведение... Существуй такое тридцать лет назад, я бы никогда не пришел сюда с Кристин и Адрианом. Никогда! А сегодня я спрашиваю себя, почему — ну почему! — лишал их удовольствия? Что мне стоило, в конце-

---

[1] Ты — Барби (*англ.*).

то концов? Четверть часа пострадать? Да что такое пятнадцать минут в сравнении с пунцовыми от счастья лицами твоих дочек?

— Я все делаю шиворот-навыворот, — добавил он, качая головой, — даже этот несчастный сэндвич — и тот держу неправильно, ведь так?

Он закапал майонезом все брюки.

— Хлоя?

— Да?

— Я хочу, чтобы ты поела... Прости, что уподобляюсь Сюзанне, но ты ничего не ела со вчерашнего дня...

— Не могу.

Он сделал новую попытку.

— Да и кто бы смог съесть подобную мерзость?! Кто? Ну ответь. Кто? Да никто!

Я сделала попытку улыбнуться.

— Ладно, разрешаю тебе еще немного посидеть на диете, но уж вечером... Вечером я буду готовить ужин, и тебе придется меня уважить, поняла?

— Поняла.

— А то что это такое? И как прикажете есть эту пищу для космонавтов?

Он ткнул пальцем в подозрительный салат в пластиковом стакане.

*

Остаток дня мы провели в саду. Девочки порхали вокруг деда, который чинил для них старые качели. Я наблюдала за ними издалека, сидя на ступеньках крыльца. Было холодно и ясно. У дочек волосы сверкали в солнечном свете, и они казались мне прехорошенькими.

Я думала об Адриане. Интересно, чем он сейчас занят?

Где он сейчас?

С кем?

И что будет с нашей жизнью?

Каждый новый вопрос погружал меня все глубже в трясину отчаяния. Как же я устала... Закрыв глаза, представляла себе, что вот он появляется. Во дворе раздается урчание мотора, он садится рядом, обнимает меня, прикладывает палец к моим губам — хочет сделать сюрприз девочкам. Я ощущаю его нежные прикосновения к моей шее, слышу его голос, чувствую жар его тела, запах кожи. Все как всегда.

Все как всегда...

Достаточно закрыть глаза.

Сколько времени помнишь запах человека, который тебя любил? А когда сама перестаешь любить?

Мне нужны песочные часы.

Когда мы обнимались в последний раз, я сама его поцеловала. Это было в лифте дома на улице Фландр.

Он *позволил* мне ласкать его.

Почему? Почему он позволил женщине, которую разлюбил, целовать себя? Зачем подставлял губы? Зачем обнимал?

Это же бессмысленно.


Качели починены. Пьер украдкой смотрит на меня. Я отворачиваюсь. Не хочу встречаться с ним взглядом. Мне холодно, во рту горечь, пора отправляться в ванную, чтобы нагреть воды для купания.

— Чем я могу вам помочь?

Он обвязал полотенце вокруг талии.

— Люси и Марион легли?

— Да.

— Они не замерзнут?

— Нет-нет, все в порядке. Лучше скажите, что мне делать...

— Можешь поплакать, а я не буду чувствовать угрызений совести. Я буду счастлив, что в кои-то веки ты поплачешь просто так. На вот, возьми, нарежь это, — добавил он, протягивая мне три луковицы.

— Вы считаете, что я слишком много плачу?

— Да.

Молчание.

Я взяла деревянную доску, стоявшую у раковины, и устроилась напротив него. Он снова замкнулся. В камине потрескивали дрова.

— Я не то хотел сказать...

— Простите?

— Я имел в виду другое — я не считаю, что ты слишком много плачешь, я просто ужасно огорчен. Ты такая хорошенькая, когда улыбаешься...

— Хочешь что-нибудь выпить?
Я кивнула.

— Подождем, пока вино немного согреется, не станем портить впечатление... А пока не налить ли тебе «*Bushmills*»?
— Нет, спасибо.
— Почему?
— Не люблю виски.
— Несчастная! О чем ты говоришь! На вот, давай-ка попробуй...

Он поднес стакан к моим губам, и его виски показалось мне омерзительным. Я несколько дней ничего не ела и сразу опьянела. Нож скользил по луковой шелухе, затылок отпустило. Сейчас я отрежу себе палец. Мне было хорошо.

— Ну как, оценила? Это мне Патрик Френдалл подарил бутылку на шестидесятилетие. Ты помнишь Патрика Френдалла?
— Э-э... нет.
— Конечно помнишь, ты же видела его здесь, разве нет? Огромный мужик с длиннющими руками...

— Тот, что подбрасывал Люси в воздух, пока ее чуть не стошнило?

— Точно, — подтвердил Пьер, подливая мне еще.

— Да, помню...

— Я очень его люблю и часто о нем думаю... Знаешь, это странно, я считаю его одним из лучших друзей, хотя мы едва знакомы...

— А у вас есть лучшие друзья?

— Почему ты об этом спрашиваешь?

— Да так... Просто... Откуда мне знать. Вы ведь никогда не говорили о своих друзьях.


Мой свекор старательно резал морковь кружочками. Всегда забавно наблюдать за мужчиной, который впервые в жизни готовит еду. Ох уж эта мне манера точно следовать рецепту, будто Жинетта Матио — верховная богиня кулинарного искусства!

— Здесь написано «нарезать морковь кружочками средней толщины». Думаешь, так нормально?

— Просто безукоризненно!

Я смеялась. Затылок был невесомым, и голова свободно болталась туда-сюда.

— Спасибо... Так на чем мы остановились? Ах да, на моих друзьях... Вообще-то у меня их было трое... Патрик, с которым я познакомился во время путешествия в Рим. Благотворительная поездка от прихода... Впервые без родителей... Мне было пятнадцать. Я не понимал ни единого слова из того, что говорил этот ирландец в два раза выше меня ростом, но мы с ним сдружились мгновенно.

Его воспитывали самые фанатичные католики на свете, я только-только выбрался из-под семейного пресса... Два щенка, отпущенные на свободу в Вечном городе... Всем паломничествам паломничество!

Вспоминая, он и сейчас дрожал от возбуждения.

Он бросил в жаровню лук, морковку и копченую грудинку — пахло очень вкусно.

— А потом Жан Терон — ты его знаешь — и мой брат Поль, которого ты никогда не видела, потому что он умер в 56-м...

— Вы считали брата лучшим другом?

— Даже больше... Насколько я тебя знаю, Хлоя, ты бы в него просто влюбилась. Он был умный и забавный, внимательный к окружающим и всегда веселый. Он рисовал... Завтра я покажу тебе его акварели, они у меня в кабинете. Он знал, как поют все птицы на свете. Любил подшутить, но всегда беззлобно. Он был очаровательный парень. Действительно очаровательный. Все его обожали...

— От чего он умер?

Мой свекор обернулся.

— Отправился в Индокитай. Вернулся оттуда больным и полусумасшедшим. Умер от туберкулеза 14 июля 1956 года.

— ...

— Как ты понимаешь, после этого мои родители больше никогда не смотрели военные парады. Балы и фейерверки для них тоже перестали существовать.

Он добавил мясо в жаркое и начал переворачивать куски, чтобы подрумянились.

— Хуже всего то, что он пошел добровольцем... Он тогда был студентом. Блестяще учился. Хотел работать в *ONF*[1]. Любил деревья и птиц. Он не должен был туда ехать. Не было никаких на то причин. Никаких. Поль был человеком мягким, пацифистом, он цитировал Жионо[2], он...

— Так почему же поехал?

— Из-за девушки. Глупая любовная история. Да и какая там девушка — девчонка. Такая нелепость. Вот я тебе сейчас рассказываю об этом и про себя всякий раз как подумаю, так ужаснусь — сколь же абсурдна наша жизнь. Отличный парень отправляется на войну из-за капризной девицы... Дикость! Такие сюжеты хороши для бульварных романов, для дешевых мелодрам!

— Она его не любила?

— Нет. А Поль с ума сходил. Он ее обожал. Он знал ее с двенадцати лет, писал ей письма, которые она вряд ли понимала. Он ушел на войну... из бахвальства. Чтобы она увидела, что он за мужчина! Накануне отъезда этот осел еще хорохорился: «Когда она попросит у вас мой адрес,

_____
[1] Office National des Forêts — Управление лесным хозяйством.
[2] Жан Жионо (1895—1970) — французский писатель-прозаик, воспевавший красоту Верхнего Прованса.

сразу не давайте, я хочу написать ей сам, первым...» А она три месяца спустя обручилась с сыном мясника с улицы Пасси.

Он всыпал в кастрюлю с дюжину разных специй — все, что нашел в шкафчиках.

Не знаю, что подумала бы Жинетта.

— Этот тупой верзила целыми днями рубил мясо в подсобке в магазине отца. Можешь себе представить, какой шок мы испытали. Променять нашего Поля на этого дурня! Пока Поль где-то там, на другом конце земли, мечтал о ней, сочинял стихи, она думала только о том, как проведет вечер со своим боровом, которому папаша-мясник позволял брать свою машину. Небесно-голубой «Фрегат», если не ошибаюсь... Конечно, она была вольна не любить нашего Поля, кто же спорит, но Поль всегда был такой восторженный, такой пылкий, блестящий юноша. Вот ведь какая ерунда получилась...

— И что было потом?

— А ничего. Поль вернулся, а мама сменила мясника. Брат провел много времени в этом доме, почти не выходил. Рисовал, читал, жаловался на бессонницу. Тяжело болел, кашлял не переставая, а потом умер. В двадцать один год...

— Вы никогда об этом не говорите...

— Нет.

— Почему?

— Я любил говорить о Поле с людьми, которые его знали, так было проще...

Я отодвинула свой стул от стола.

— Я накрою. Где вы хотите ужинать?
— Здесь. В кухне очень уютно.

Он погасил верхний свет, и мы сели за стол друг против друга.

— Восхитительно.
— Правда? По-моему, слегка пережарено?
— Да нет же, поверьте, великолепно.
— Ты слишком добра.
— От вашего вина еще не так подобреешь. Расскажите мне о Риме...
— О городе?
— Да нет, о том паломничестве... Каким вы были в пятнадцать лет?
— Ох... Ну каким я был... Самым глупым мальчишкой на свете. Пытался не отстать от Френдалла. Болтал без умолку, рассказывал ему о Париже, о «Мулен Руж», выдумывал бог знает что, врал напропалую. Он смеялся, что-то отвечал, я не понимал и тоже смеялся. Мы проводили время, вылавливая монетки из фонтанов и глупо хихикая при виде любой особи женского пола. Сегодня мне кажется, что мы оба выглядели очень трогательно... Я со-

31

вершенно не помню, по какому случаю было организовано тогда это паломничество. Но оно, безусловно, было чему-то посвящено, была у него, так сказать, благая цель и повод для молитвы... Не помню... Для меня Рим стал громадным глотком кислорода. Эти несколько дней изменили мою жизнь. Я открыл для себя вкус свободы. Это было... Тебе положить еще?

— С удовольствием.

— Не забывай, какое тогда было время... Мы делали вид, что выиграли войну. А на самом деле осталось одно разочарование. Стоило упомянуть кого-нибудь — соседа, продавца, родителей друга, — и мой отец немедленно заносил его в разряд доносчика или оговоренного, труса или никчемного существа. Это было ужасно. Тебе трудно представить, но поверь мне, для детей это было действительно ужасно... Кстати, мы с отцом практически не разговаривали... Так, для проформы, соблюдая минимум сыновнего почтения... Однажды я все-таки спросил его: «Если все ваше человеколюбие оказалось столь никудышным, зачем же вы за него сражались?»

— И что он ответил?

— Ничего... ответом было презрительное молчание.

— Спасибо, спасибо, хватит!

— Я жил на втором этаже мрачного серого здания где-то в глубине шестнадцатого округа. Унылое место... Моим родителям не хватало средств снимать эту квартиру, но шестнадцатый округ — это ведь так престижно, ты же понимаешь! Шестнадцатый округ! Мы ютились в унылой квартирке, в которую никогда не проникало солнце, и моя мать запрещала открывать окна, потому что внизу находилось автобусное депо. Она боялась, как бы занавески не закоптились... о-хо-хо, это замечательное бордо так развязало мне язык, чудеса, да и только! Я ужасно скучал. Я был слишком молод, чтобы интересовать отца, а мать порхала как бабочка.

Ее почти не бывало дома. «Время, отданное приходу», — говорила она, возводя глаза к небесам. Она из кожи вон лезла, поносила каких-то придуманных ею благочестивых дур, входя, устало снимала перчатки и бросала их, точно фартук, на консоль в прихожей, вздыхала, вертелась, трещала без умолку, лгала и путалась. Мы ей не мешали. Поль называл ее Сарой Бернар, а мой отец, стоило ей выйти из комнаты, возвращался к чтению «Фигаро», не утруждая себя комментариями... Картошки?

— Нет, спасибо.

— Я находился на полупансионе в «Жансон-де-Сайи». И был таким же серым, как дом, в котором жил. Читал «Храбрые сердца» и увлекался приключениями Флэша Гордона. По четвергам играл в теннис с братьями Мортелье. Я... Я был очень благоразумным и совершенно неинтересным ребенком. Мечтал сесть в лифт и подняться до седьмого этажа, чтобы посмотреть... Тоже мне приключение... Подняться на седьмой этаж! Дурак дураком...

Я жил в ожидании Патрика Френдалла.

Я ждал свидания с Папой!


Он встал, чтобы поворошить дрова в камине.

— В общем... В той эскападе не было ничего революционного... Так, небольшая передышка. Я всегда считал, что... как бы это поточнее выразиться... что в один прекрасный день я освобожусь, «сорвусь с поводка». Но ничего подобного не произошло. Так и не произошло. Я остался благоразумным, благовоспитанным и неинтересным. К чему я все это тебе рассказываю? Почему вдруг стал таким болтливым?

— Просто я спросила...

— Ладно... Хотя это не причина! Я еще не надоел тебе своими ностальгическими воспоминаниями?

— Да нет же, совсем наоборот, мне очень интересно...

\*

На следующее утро я нашла на кухонном столе записку: «Я только на работу и обратно».

В кофейнике был свежесваренный кофе, перед камином, на подставке, лежало огромное полено.

Почему он не предупредил меня о своем отъезде?

Какой странный человек... Похож на рыбу... Вечно уворачивается и всегда выскальзывает из рук...

Я налила себе большую чашку кофе и выпила, стоя у кухонного окна. Смотрела на малиновок, суетившихся вокруг кусочков сала, которые девочки разложили накануне вечером на скамейке.

Солнце поднялось чуть выше изгороди.

Я ждала, когда девочки встанут. В доме было слишком тихо.

Хотелось курить. Вот идиотство, я бросила много лет назад! Бросила-то бросила, но жизнь есть жизнь... Вы проявляете чудеса стойкости, а потом однажды зимним утром плететесь по холоду четыре километра, чтобы купить пачку сигарет, или, например, любите мужчину, заводите с ним двоих детей и потом однажды зимним утром узнаете, что он от вас уходит, потому что полюбил другую. Говорит, что ему жаль, что он ошибся.

Как по телефону: «Извините, я ошибся номером». Пожалуйста, пожалуйста...

Мыльный пузырь.

На улице ветрено. Я выхожу, чтобы убрать сало.

Вместе с дочками смотрю телевизор. Я подавлена. Герои их мультфильмов кажутся мне глупыми и капризными. Люси злится, мотает головой, просит меня замолчать. А мне хочется поболтать с ней о Кэнди.

В детстве я обожала Кэнди.

Кэнди никогда не говорила о деньгах. Только о любви. Но я промолчала — что толку уподобляться глупышке Кэнди...

Ветер завывает все сильнее. Поход в деревню придется отложить.

Вторую половину дня мы проводим на чердаке. Девочки наряжаются. Люси машет веером перед лицом сестры:
— Вам жарко, госпожа графиня?
Госпожа графиня не может шевельнуться, слишком уж много шляп надела.

Мы сносим вниз старую колыбельку. Люси говорит, ее надо покрасить.
— В розовый цвет? — спрашиваю я.
— Как ты догадалась?
— Я очень умная.

Звонит телефон. Люси снимает трубку.
Долго слушает, наконец спрашивает:
— Хочешь поговорить с мамой?

Немного погодя вешает трубку. Но к нам не возвращается.
Я помогаю Марион разобраться с колыбелькой.

Спустившись на кухню, нахожу дочь за столом. Сажусь рядом.

Мы смотрим друг на друга.

– Вы с папой полюбите друг друга когда-нибудь снова?
– Нет.
– Ты уверена?
– Да.
– Я и так знала...

Встав, она добавляет:
– Знаешь, что я еще хотела тебе сказать?
– Нет. Что?
– А то... что птички, они все съели...
– Правда? Ты точно знаешь?
– Ну да. Пойди сама посмотри...

Она обошла вокруг стола и взяла меня за руку.

Мы стоим у окна. Я и маленькая белокурая девочка в старом пластроне от смокинга и съеденной молью юбке. Ее «You're a Barbie girl» вдеты в ботиночки прабабушки. Моя материнская рука обнимает ее за плечи. Мы смотрим, как деревья в саду сгибаются под ветром, и думаем, скорее всего, об одном и том же...

В ванной так холодно, что я боюсь высунуть плечи из воды. Люси намылила нам головы шампунем и придумывает потрясающие прически. «Смотри, мама! — взвизгивает она. — У тебя на голове рожки!»

Это я и без нее знаю.

Веселого тут мало, но я смеюсь.

— Почему ты смеешься?

— Потому что я глупая.

— А почему ты глупая?

Мы вытерлись, пританцовывая.

Надели ночные рубашки, носки, тапки, свитера, халаты, а поверх — снова свитера.

Потом мои пингвинята спустились вниз — поесть супу.

Электричество вырубилось как раз в том момент, когда слоненок Бабар баловался с лифтом универмага под разгневанным взглядом портье. Марион расплакалась.

— Подождите, сейчас я все исправлю.

— Ой-ей-ей-ей-ей, а-у-у-у...

— Прекрати, крошка Барби, ты расстроишь сестру.

— Не называй меня крошкой Барби!

— Тогда перестань.

Дело было не в переключателе и не в пробках. Ставни хлопали, двери скрипели и стонали, весь дом был погружен в темноту.

Сестры Бронте, молитесь за нас!

Когда же наконец вернется Пьер?

Я стащила матрас девочек вниз, на кухню, — без электрического радиатора наверху они спать не могли. Обе были ужасно возбуждены и прыгали как блохи. Мы отодвинули стол и бросили их «походную кровать» на пол перед камином.

Я улеглась между ними.

— Мам, а Бабар? Ты не дорассказала...

— Тсс, Марион, тсс! Лучше смотри прямо перед собой. Смотри на огонь! Он поведает тебе много интересного...

— Да, но...

— Тссс...

Они мгновенно заснули.

Я прислушивалась к шорохам в доме. В носу у меня щипало, и я терла глаза, чтобы не плакать.

Моя жизнь похожа на эту кровать, думала я. Хрупкая. Зыбкая. Подвешенная.

Я все ждала, что дом вот-вот сорвется и улетит прочь.

Я думала о том, что теперь я брошенная женщина.

Забавно, как некоторые образные выражения оказываются не просто образными. Ведь нужно хоть однажды сильно испугаться, чтобы понять, что такое «холодный пот», или серьезно поволноваться, чтобы осознать, каково оно, когда «сосет под ложечкой». Разве не так?

«Брошенная женщина» — то же самое. И кто только такое придумал?

Бросить за борт.

Оторвать и бросить.

А самому сняться с якоря.

Выйти в открытое море, расправить крылья и предаваться любви на других широтах.

И правда, лучше не придумаешь...

Я становлюсь злобной, и это хороший признак. Еще несколько недель — и я подурнею.


Тебе кажется, что ты бросил якорь, — но это ловушка. Ты принимаешь решения, берешь на себя обязательства, получаешь кредиты, ну и рискуешь, конечно. Покупаешь дома, селишь малышей в розовые детские, и каждую ночь спишь в объятиях супруга. И радуешься... Как это у нас говорилось?.. Радуешься *согласию*. Да, именно так мы говорили, когда были счастливы. И даже когда уже не были...


Ты считаешь, что имеешь право на счастье — и это тоже ловушка.

Какие же все мы дураки! Надо же быть столь наивными, чтобы хоть на секунду поверить, будто мы держим под контролем свою жизнь.

Она выходит из-под контроля, но это не страшно. И даже не очень интересно...

В идеале все же было бы узнавать об этом пораньше.

Насколько «пораньше»?

Пораньше.

До того, как начнешь перекрашивать комнаты в розовый цвет, например...

Пьер прав — зачем проявлять слабость?

Чтобы били больнее?


Моя бабушка часто говорила: чтобы муженька при себе удержать, надо потчевать его всякими вкусностями. Это не про меня, бабуля, не про меня... Во-первых, я не умею готовить, а во-вторых, мне никогда никого не хотелось удерживать.

Что ж, ты своего добилась, девочка моя!

Я наливаю себе коньяку, чтобы отпраздновать.


Поплакать — и баиньки.

Следующий день показался мне очень длинным.

Мы отправились гулять. Кормили лошадок хлебом в конно-спортивном центре и провели там уйму времени. Марион каталась на пони. Люси не захотела.

Мне казалось, что я тащу на себе тяжелый рюкзак.

Вечером был спектакль. Мне везет, у меня дома что ни день, то спектакль. На сей раз в программе значилось: *Маленькая девочка, которая не хотела уходить.* Они очень старались меня развлечь.

Я плохо спала.

На следующее утро сердце у меня ныло. На улице было слишком холодно.

Девочки все время хныкали.

Я попыталась развлечь их игрой в первобытных людей.

— Вот смотрите, как первобытные люди готовили свой «Несквик»... Ставили кастрюльку с молоком на огонь, да, вот так... Тост? Нет ничего проще, кладем кусочек хлеба на решетку над огнем и — оп-ля-ля! Внимание! Тут не зевай, иначе обуглится. Кто хочет поиграть со мной в первобытных людей?

Увы, моим девочкам было плевать на игру, есть они не хотели. А хотели смотреть треклятый телевизор.

Я обожглась. Услышав, как я вскрикнула, Марион заплакала, а Люси разлила какао на диван.

Я села, схватилась руками за голову.

Мне хотелось ее отвинтить, положить перед собой на пол и отшвырнуть как можно дальше.

Так далеко, чтобы ее больше никто никогда не нашел.

Я и по мячу-то бить не умею.

Наверняка промахнулась бы.

В этот момент появился Пьер.

Он был огорчен, что не мог со мной связаться, потому что на линии случился обрыв, и потряхивал пакетом с горячими круассанами перед носом девочек.

Они смеялись. Марион пыталась схватить его за руку, а Люси предлагала выпить первобытного кофе.

— Первобытного кофе? Да с удовольствием, дорогая Малышка Хрустик!

У меня от этой сцены на глаза навернулись слезы.


Он положил мне руку на колено.

— Хлоя... Все в порядке?

Мне хотелось ответить — нет, совсем не в порядке, но я была так рада его видеть, что соврала.

— У булочницы есть свет, значит, это не авария на линии. Схожу взглянуть... Эй, девочки, смотрите, какая чудесная погода на улице! Одевайтесь, мы идем по грибы. Вчера был такой дождь, мы найдем кучу грибов!


В число «девочек» он включил и меня... Хихикая, мы поднялись по лестнице наверх.

Как же это здорово, когда тебе восемь лет.


Мы дошли до Мельницы Дьявола. Мрачное строение, которое с незапамятных времен облюбовала детвора.

Пьер объяснял девочкам происхождение отверстий в стене:

— Вот это — от удара рогом... а вот там — отметины от копыт...

— А почему он бил копытами в стену?

— О, это длинная история... Просто в тот день он очень нервничал...

— А почему он нервничал?

— Потому что его пленница сбежала.

— А кто была его пленница?

— Дочка булочницы.

— Дочь госпожи Пеко?

— Да нет же, господи! Скорее, ее прапрабабушка.

— Что???


Я показала девочкам, как сервировать кукольный обед в желудевых шапочках. Мы нашли пустое птичье гнездо, камни и шишки. Рвали кукушкины слезки, наломали орешника. Люси набрала мха для своих куколок, а Марион не слезала с дедушкиных плеч.

Мы принесли домой два гриба. Оба более чем подозрительные!


На обратном пути мы слышали пение дрозда, а удивленная маленькая девочка все спрашивала:

— Но почему дьявол забрал бабушку мадам Пеко?

— Не догадываешься?

— Нет.

— Да потому, что он любил вкусно поесть!


Она била палкой по зарослям папоротника, чтобы прогнать демона.


А кого поколотить мне?

— Хлоя...

— Да?

— Я хотел тебе сказать... Надеюсь... Вернее, я хотел бы... Да, хотел бы... Хотел бы, чтобы ты приезжала в этот дом, потому что... Я знаю, что ты его очень любишь... Здесь многое сделано твоими руками... В комнатах... И в саду... До тебя здесь не было сада, помнишь? Обещай, что вернешься. Одна или с девочками...

Я повернулась к нему.

— Нет, Пьер. Вы прекрасно знаете, что нет.

— А как же твой розовый куст? Как он называется? Тот куст, что ты посадила в прошлом году...

— Бедро испуганной нимфы.

— Ну да, ну да. Ты так его любила...

— Да нет, мне просто нравилось название... Послушайте, мне и так очень непросто...

— Прости меня, прости.

— Надеюсь, вы его не бросите, правда?

— Еще бы! Бедро испуганной нимфы... Куда от него денешься?

Он немного переигрывал.

На обратном пути мы встретили старого Марселя — он возвращался из городка. Велосипед его опасно вилял. Каким чудом ему удалось затормозить прямо перед нами, не свалившись, мы никогда не узнаем. Он усадил Люси на седло и предложил нам зайти к нему на огонек.

Госпожа Марсель обцеловала девочек с головы до ног и усадила их перед телевизором с пакетом конфет на коленях. «У нее тарелка, мама! Представляешь! Целый канал мультиков!»

Ура, ура, ура!

Отправиться на другой конец света, продираться сквозь заросли кустарника, перепрыгивать через изгороди и канавы, набивать шишки и пересечь двор старого Марселя, чтобы посмотреть, как Телетун поедает малину Тагады!

Иногда жизнь бывает просто великолепна...

Буря, коровье бешенство, Европа, охота, мертвые и умирающие... В какой-то момент Пьер спросил:

— Скажите, Марсель, вы помните моего брата?

— Кого? Поля? Конечно, я помню этого маленького грязнулю... Сводил меня с ума, свистел на все лады. На охоте дурачил меня, как хотел! Изображал птиц, которые у нас даже не водятся! Маленький негодяй! А собаки-то как бесновались! Да уж, как вспомню... Хороший был мальчуган... Часто приходил в лес с отцом... Все хотел увидеть, требовал, чтобы ему все объясняли... О-хо-хо... Сколько же вопросов он задавал! Заявлял, что будет учиться, чтобы потом работать в лесу. Помню, отец ему говорил: «Но тебе и учиться не нужно, мальчик мой! Разве учителя знают больше меня?» А он отвечал, что хочет увидеть все леса на свете, посмотреть нашу страну, прогуляться от Африки до России, но потом вернуться сюда и все нам рассказать.

Пьер слушал, тихонько кивая: ему хотелось, чтобы Марсель все говорил и говорил.

Мадам Марсель встала и вышла, а вернувшись, протянула нам блокнот с рисунками.

— Вот это маленький Поль — я так говорю, потому что он тогда был совсем маленьким, — подарил мне однажды, чтобы отблагодарить за оладьи с акациевым сиропом. Смотрите, это он моего пса рисовал.

Она перелистывала страницы, и мы восхищались изображениями маленького фокстерьера, явно ужасно избалованного и капризного.

— Как его звали? — спросила я.

— У него не было имени, мы просто все время говорили «Куда он подевался?», потому что он все время исчезал... Потому и погиб... Ох... Как же мы его любили... Даже слишком, даже слишком... Давненько я не смотрела эти рисунки. Стараюсь их подальше держать, слишком много любимых покойников с ними связано...

Рисунки были чудесными. «Куда он подевался» был фоксиком шоколадного цвета с длинными черными усами и густыми бровками.

— Его пристрелили... Пугал браконьеров, дурачок...

Я встала, надо было возвращаться, пока окончательно не стемнело.

*

— Брат умер из-за дождя. Потому что его командиры слишком долго держали его под дождем. Представляешь?

Я ничего не ответила, глядя под ноги и стараясь не ступить в лужу.

Девочки отправились спать без ужина. Переели конфет.

Бабар покинул Старую Даму. Она осталась одна. Она плачет: «Когда же я снова увижу моего маленького Бабара?»

Пьер тоже выглядит несчастным. Он долго оставался у себя в кабинете — якобы искал рисунки брата. Я накрыла ужин — спагетти с потрошками, приготовленными Сюзанной.

Мы решили уехать на следующий день, после полудня. Итак, я в последний раз суетилась на этой кухне.

Я ее очень любила, эту кухню. Бросила макароны в кипящую воду, проклиная свою чувствительность. «Я очень любила эту кухню...» Эй, мамаша, найдешь другие...

Я ругала себя, а к глазам подступали слезы... Полный идиотизм.

Он положил на стол маленькую акварель. Читающая женщина, вид со спины.

Она сидела на садовой скамейке. Чуть наклонив голову. Возможно, она не читала, а спала или мечтала.

Дом был узнаваем. Ступеньки крыльца, скругленные ставни и белая глициния.

— Это моя мать.

— Как ее звали?

— Алиса.

— ...

— Это тебе.


Я хотела возразить, но он сделал большие глаза и приложил палец к губам. Пьер Диппель — человек, который не любит, когда ему возражают.

— Вы всегда требуете полного подчинения?

Он меня не слушал.

— Кто-нибудь когда-нибудь осмеливался вам возражать? — добавила я, ставя рисунок Поля на каминную доску.

— Не кто-нибудь. И всю жизнь.

Я прикусила язык.


Он встал, опираясь на стол.

— Ладно... Что выпьешь, Хлоя?

— Чего-нибудь веселящего.

*

Он поднялся из подвала с двумя бутылками, прижимая их к груди, как младенцев.

— «Шато Шас-Сплин»... Очень к месту, согласись...[1] Именно то, что нам нужно. Я взял две — одну для тебя, другую для себя.

— Вы с ума сошли! Надо оставить их для более торжественного случая...

— Более торжественного, чем что?

Он пододвинул свой стул поближе к камину.

— Не знаю... Чем я... Чем мы... Чем этот вечер.

— Но сегодня по-настоящему торжественный случай, Хлоя. Я приезжаю в этот дом с самого детства, я тысячи раз ел на этой кухне, и уж поверь — умею распознавать торжественные случаи!

Ох уж мне этот самодовольный тон...

Повернувшись ко мне спиной, он замер, глядя на огонь.

— Хлоя, я не хочу, чтобы ты уходила...

Я вывалила макароны в дуршлаг. Сверху упала тряпка.

---

[1] Игра слов: *Chasse-Spleen* по-французски — *«Прогони хандру».*

— Вы меня нервируете. Говорите бог знает что. Думаете только о себе. Это утомительно. «Не хочу, чтобы ты уходила». Ну зачем вы говорите мне подобные глупости? Хочу напомнить, ухожу не я... У вас есть сын, помните? Большой мальчик. Так вот, это он ушел. Он! Вы не в курсе? О-о, как глупо. Подождите, я вам расскажу, это очень забавная история. Итак, это было... А когда это было? Впрочем, неважно. Адриан, ваш замечательный Адриан, на днях собрал чемоданы. Поставьте себя на мое место — я удивилась. Я, между прочим, была женой этого парня. Знаете — женой, той удобной вещью, которую повсюду таскают за собой и которая улыбается, когда ее целуют. Итак, я удивилась. Представьте себе... вот он стоит с нашими чемоданами перед лифтом и ноет, глядя на часы. Он ноет, потому что нервничает, бедный цыпленочек! Лифт, чемоданы, благоверная и самолет — какая головоломка! Ну конечно, он не может опоздать на самолет — в самолете его ждет любовница! Знаете, любовница — это такая нетерпеливая молодая женщина, которая немножко действует вам на нервы. Так что времени на семейную сцену нет... Ну нет — и все тут... И потом, это так пошло. В семье Диппелей вас разве этому не научили? Крики, сцены, эмоции — это вульгарно. У Диппелей правило — *never explain, never complain*[1]. Вот в этом есть класс, это совсем другое дело.

— Хлоя, прекрати немедленно!

Я плакала.

---

[1] Никогда не давать объяснений, никогда не выражать сожалений (слова Б. Дизраэли).

— Вы сами-то себя слышите? Слышите, как вы со мной говорите? Я ведь не собака, Пьер. Не ваша собачонка, Пьер, черт вас побери! Я отпустила мужа, не выцарапав ему глаза, просто закрыла тихонько дверь — и вот я здесь, перед вами, с моими дочерьми. Я вроде неплохо держусь. Держусь, понимаете? Понимаете, что означает это слово? Разве кто-нибудь слышал от меня вопли отчаяния? Так не давите мне на психику. Вы не хотите, чтобы я уходила... Ох, Пьер... Вынуждена буду не подчиниться вам... Боже, мне так жаль... Как жаль...

Он схватил меня за запястья и сжал изо всех сил. Не давая мне шевельнуться.

— Отпустите! Вы делаете мне больно! Вы все, все ваше семейство делаете мне больно! Отпустите меня, Пьер.

Едва он ослабил объятия, как я уронила голову ему на плечо.

— Все вы делаете мне больно...


Я обливала слезами его шею, забыв, как ему, должно быть, неприятно, ведь он никогда ни к кому не прикасался... Я плакала, время от времени вспоминая свои спагетти: если я не солью воду, есть их будет невозможно. Он все повторял «Ну-ну, ну-ну...» И еще: «Прости меня...» И еще: «Я тоже очень переживаю...» Он не знал, куда девать руки.


В конце концов он все-таки отстранился и стал накрывать на стол.

— За тебя, Хлоя.

Я чокнулась с ним.

— Да, за меня, — повторила я с кривой улыбкой.

— Ты замечательная.

— Да, замечательная. И еще — надежная, храбрая... Что я забыла?

— Забавная.

— Ах да, чуть не забыла, забавная.

— Но несправедливая.

— ...

— Несправедливая, ведь так?

— ...

— Думаешь, я люблю только себя?

— Да.

— Тогда ты не только несправедливая, но и глупая.

Я протянула ему бокал.

— Конечно... Выдайте-ка мне еще этого чудесного напитка.

— Считаешь меня старым дураком?

— Да.

Я покачала головой. Я была не злой, а несчастной. Он вздохнул.

— Так почему же я старый дурак?

— Потому что никого не любите. Никогда не расслабляетесь. Все время в напряжении и словно бы не здесь. Не с нами. Вы не принимаете участия ни в разговорах, ни в шалостях, ни в наших скромных увеселениях. Потому что вам не знакомы нежные чувства, вы вечно молчите, и ваше молчание смахивает на презрение. Потому что...

— Хватит, хватит, довольно, спасибо.

— Простите, но я отвечаю на ваш вопрос. Хотели знать, почему это вы старый дурак, — я и ответила. Хотя я не нахожу вас таким уж старым...

— Как же ты любезна...

— Да чего уж там.

Я оскалила зубы, изображая нежную улыбку.

— Ладно, но, если я такой, как ты говоришь, зачем привез тебя сюда? С чего бы мне тратить на вас столько времени и...

— Вы сами прекрасно знаете с чего...

— Так с чего же?

— Да потому что у вас свое понятие о чести. Не что иное, как кокетство, принятое в любой добропорядочной семье. Я семь лет путаюсь у вас под ногами, но вы впервые проявили ко мне интерес... Я скажу вам, что думаю. Я не находжу вас ни доброжелательным, ни милосердным. Я все понимаю. Ваш сын оступился, и вы идете следом за ним — «подчищаете», так сказать, закрываете брешь. Вы попытаетесь — как можете — заделать трещины. Вы ведь не любите трещины, да, Пьер? Нет, не любите! Просто терпеть не можете...

Думаю, вы привезли меня сюда, чтобы соблюсти приличия. Малыш проштрафился — придется, сжав зубы, устранять последствия. Сегодня вы окучиваете невестку, как когда-то платили крестьянам, если ваш сопляк въезжал на мотоцикле в их посевы. Жду не дождусь момента, когда вы со скорбным видом объявите, что я могу на вас рассчитывать. В финансовом отношении. Вы в затруднении, правда? Такой большой девочке, как я, будет посложнее возместить убытки, чем хозяину свекольного поля...

Он встал.

— Что ж, пожалуй... Это правда... Ты глупышка. Какое ужасное открытие...

Ладно, давай сюда тарелку.


Он стоял у меня за спиной.

— Ты сама не знаешь, как сильно ранишь меня своими словами. До крови. Но я не в обиде — все дело в твоем горе...

Он поставил передо мной тарелку с дымящейся едой.

— И все-таки есть одна вещь, которую я тебе спустить не могу, одна-единственная...

— Что именно? — Я подняла на него глаза.

– Не упоминай больше свеклу, прошу тебя. В округе ты на десять километров не найдешь ни одного свекольного поля...

Он был очень собой доволен, старый хитрюга.


– Гм, неплохо... Очень даже вкусно. Думаю, вам будет не хватать меня как поварихи, так ведь?

– Да, тут ты права, но во всем остальном, спасибо большое.. Испортила мне аппетит...

– Неужели?

– Точно-точно.

– Как вы меня напугали!

– Но я все-таки попробую эти восхитительные спагетти...

Он подцепил вилкой слипшиеся макаронины.

– Э-э-э, как это говорят?.. *Al dente*[1].

Я смеялась.


– Люблю, когда ты смеешься.


Мы долго сидели молча.

– Вы обиделись?

– Нет, скорее растерян...

– Мне очень жаль.

– У меня такое чувство, что я чего-то не понимаю. Огромный клубок, который я не в силах распутать...

---

[1] *Здесь:* В самый раз (*ит.*).

— Я хотела...

— Помолчи. Дай мне сказать. Я должен немедленно разобраться. Это очень важно. Не знаю, сможешь ли ты понять меня, но хоть выслушай. Я должен потянуть за ниточку, но не знаю, за какую. Не представляю, как и с чего начать. Боже, все так сложно... Потяни я слишком сильно или не за ту нитку, все еще больше запутается. Так запутается, что я ничего больше не смогу сделать и увязну окончательно. Понимаешь, Хлоя, моя жизнь, вся моя жизнь — это клубок, точно сжатый кулак. Вот он я, весь тут, перед тобой, сижу на этой кухне. Мне шестьдесят пять лет. Я ни на что не гожусь. Я тот старый дурак, которому ты только что так всыпала. Я ничего не понял, я так никогда и не поднялся на седьмой этаж. Я испугался собственной тени и вот к чему пришел. Смерть близка... Нет, прошу тебя, не перебивай... Не сейчас. Позволь мне разжать кулак. Хоть чуть-чуть.

Я долила вина в стаканы.

— Начну с самого несправедливого, с самого жестокого... С тебя...

Он откинулся на спинку кресла.


— Когда я впервые тебя увидел, ты была вся синяя. Помню, это произвело на меня впечатление. Ты стояла в проеме этой двери... Адриан поддерживал тебя, а ты протянула мне скрюченную от холода руку. Ты не могла ни пальцем шевельнуть, ни слова вымолвить, и я пожал твою ладонь в знак приветствия, и на твоем запястье остались белые следы от моих пальцев. Адриан со смехом сказал разволновавшейся Сюзанне: «Я привел вам Штрумпфетку[1]!» Потом он отнес тебя наверх и положил в горяченную ванну. Сколько ты там пролежала? Не помню, зато помню, как Адриан все повторял и повторял матери: «Спокойствие, мама, спокойствие! Как только она сварится, мы сядем за стол!» Мы действительно хотели есть — я, во всяком случае. Ты меня знаешь, знаешь, какими бывают оголодавшие старые дураки... Я уже готов был потребовать, чтобы подавали ужин без вас, — но тут ты появилась, одетая в старый халат Сюзанны, с мокрыми волосами и застенчивой улыбкой на лице.

Зато щеки у тебя были красные-красные, просто пунцовые...

За едой вы рассказали, что стояли в очереди в кинотеатр, чтобы посмотреть «Воскресенье за городом», но билетов не хватило, и Адриан, выпендрежник — это семейная черта! — предложил тебе провести воскресенье за городом... и отправиться туда на его мотоцикле. Решать нужно было немедленно — и ты согласилась, потому и заледенела: под плащом у тебя была легкая маечка. Адриан пожирал тебя глазами, что было нелегко — ты почти все время сидела, опустив голову. Когда он говорил о тебе, мы видели ямочки у тебя на щеках, и мы думали, что ты нам улыбаешься... Помню еще, на тебе были надеты какие-то немыслимые кеды...

— Правильно! Желтые *Converse*.

— Ну да, и чего тогда ты критикуешь кроссовки, которые я купил вчера Люси... Кстати, нужно будет ей сказать: «Ни-

---

[1] Штрумпфы — маленькие синие человечки, герои популярного в 1950-х гг. мультфильма Пейо, говорящие на тарабарском языке.

кого не слушай, милая моя, когда я познакомился с твоей мамой, на ней были желтые кеды с красными шнурками...»

— Вы и шнурки помните?

— Я все помню, Хлоя, все, слышишь меня? И красные шнурки, и книгу, которую ты читала на следующий день, сидя под вишней, пока Адриан возился со своим мотоциклом...

— И что же это была за книга?

— *Мир глазами Гарпа*[1], так?

— Все точно.

— Помню, что ты предложила Сюзанне расчистить маленькую лестницу, которая вела в бывший погреб, помню, что она умилялась тому, как старательно ты выпалывала сорняки. «Невестка? Невестка?» — казалось, это слово огненными буквами плясало у нее перед глазами. Я отвез вас на рынок в Сент-Аман, ты купила несколько кусков козьего сыра разных сортов, а потом мы выпили на площади мартини. Ты читала статью — кажется, об Энди Уорхолле, — пока мы с Адрианом поддавали...

— Просто поразительно, как вы все это запоминаете?

— Ну... невелика заслуга... Это был один из тех редких случаев, когда мы что-то делали вместе...

— С Адрианом?

— Да...

— Да.


Я встала, чтобы взять сыр.

— Нет-нет, не меняй тарелки, не стоит.

---

[1] Роман Джона Ирвинга.

— Обязательно поменяю! Я знаю, что вы ненавидите есть сыр с грязной тарелки.

— Я ненавижу? Неужели? А знаешь, и правда терпеть не могу... Еще одна причуда старого дурака, да?

— Ну... вообще-то... да.

Он состроил рожу и протянул мне свою тарелку.

— Вот чертовка.

Ямочки.

— Я конечно помню вашу свадьбу... Ты держала меня под руку и была необычайно хороша. Все время спотыкалась. Когда мы шли через площадь Сент-Аман, ты шепнула мне на ухо: «Вам бы следовало украсть меня, я бы выбросила эти проклятые туфли в окно вашей машины, и мы отправились бы есть улиток к Иветте...» От этой шутки у меня аж голова закружилась. Я изо всех сил сжал в руке перчатки. На, возьми сыр...

— Бог с ним, с сыром, вы продолжайте...

— Ну что тебе еще рассказать? Помню, однажды мы назначили встречу в кафе — оно находилось на первом этаже в том же здании, что и мой офис, — я должен был забрать какой-то половник, который тебе одолжила Сюзанна. В тот день я, наверное, тебе не понравился — торопился, был озабочен... Ушел прежде, чем ты допила чай, задавал вопросы о твоей работе и не слушал ответов, в общем... Так вот, в тот же вечер, за ужином, когда Сюзанна спросила меня: «Что нового?», я ни с того ни с сего вдруг сказал: «Хлоя беременна». «Она сама тебе сказала?» — «Нет. Не уверен, что она в курсе...» Сюзанна пожала плечами, возвела глаза к потолку, но я оказался прав. Прошло несколько недель, и вы сообщили нам радостную новость...

— Как вы догадались?

— Не знаю... Мне показалось, что у тебя изменился цвет лица, да и усталой ты казалась неспроста...

— ...

— Я долго могу так продолжать. Видишь, ты несправедлива. Что ты там говорила? Что все это время, все эти годы я никогда тобой не интересовался... О-о-о, Хлоя, надеюсь, тебе стыдно.

Он посмотрел на меня с укором.

— Но ты права — я эгоист. Говорю, что не хочу, чтобы ты уходила, просто потому, что не хочу, чтобы ты уходила. Думаю о себе. Ты мне ближе дочери. Моя собственная дочь никогда не скажет мне, что я старый дурак, про себя подумает, что я дурак, да и только!

Он встал за солонкой.

— Но... Что с тобой?

— Ничего. Ничего со мной.

— Но ты ведь плачешь.

— Нет не плачу. Смотрите — вовсе не плачу.

— Да конечно плачешь! Дать тебе воды?

— Спасибо.

— Ох, Хлоя... Не хочу, чтобы ты плакала. Я чувствую себя несчастным.

— Ну вот! Снова вы о себе! Неисправимый эгоист...

Я хотела перейти на шутливый тон, но из носу текли сопли, и зрелище было жалкое.

Я смеялась. Плакала. Вино меня не веселило.

— Я не должен был говорить тебе все это...

— Как раз должны. Это ведь и мои воспоминания тоже... Нужно привыкать потихоньку. Не знаю, понимаете ли вы, как для меня все это неожиданно... Всего две недели назад я была матерью благополучного семейства. Перелистывала в метро записную книжку, планировала ужины, подпиливала ногти, думая об отпуске. Раздумывала: «Взять с собой девочек или поехать вдвоем?» Вот какие вопросы меня волновали....

И еще я думала: «Нужно подыскать другую квартиру, наша хороша, но темновата...» Ждала, когда Адриан придет в себя, чтобы с ним поговорить, — видела, что он в последнее время не в своей тарелке... Раздражительный, обидчивый, усталый... Я беспокоилась о нем, думала: «Они угробят его на этой безумной работе, какой идиот так составляет расписание?»

Он отвернулся к камину.


— Благополучная жизнь, но не слишком веселая, правда?

Я ждала его к ужину. Ждала часами. Часто даже засыпала... Он в конце концов возвращался — понурый, с виноватым лицом. Я шла на кухню, потягиваясь. Старалась взбодриться. Он, конечно, не хотел есть, у него совершенно пропал аппетит — на это ему совести хватало. Возможно, они успевали перекусить вместе? Вполне...

Как же трудно ему, наверное, было сидеть напротив меня! Какой нелепой я ему казалась с моей привычной веселостью и сериалом о жизни в доме близ сквера Фирмен-Жедон. Думаю, он ужасно мучился... У Люси выпал зуб, мама плохо себя чувствует, польская няня маленького Артура встречается с сыном соседки, я сегодня утром закончила наконец тот мраморный бюст, Марион постриглась, и это просто ужасно, у тебя усталый вид, отдохни хоть день, дай мне руку, хочешь еще шпината? Бедняга... какая пытка для неверного, но совестливого мужа. Какая пытка... Но я ничего не замечала. Никаких признаков, понимаете? Как можно быть такой слепой? Как? Либо я полная тупица, либо слишком доверчива. Впрочем, это одно и то же...

Я откинулась назад.

— Ах, Пьер... Какая же сволочная штука жизнь...

— Хорошее вино, правда?

— Очень. Жалко только, что не держит обещаний — не гонит хандру...

— Я впервые его пью.

— Я тоже.

— Это как твой розовый куст — я купил бутылку из-за этикетки...

— Ну да. Какая глупость... Бог знает что такое.

— Хлоя, ты ведь еще так молода...

— Нет, я старая, я чувствую себя старой. Я совершенно разбита. Я никому больше не верю. Буду теперь смотреть на жизнь через глазок в двери. Никому не открою больше дверь. Отойдите. Покажите правую руку. Хорошо, теперь левую. Наденьте тапочки. Стойте в дверях. Не двигайтесь.

— Нет, такой женщиной ты никогда не станешь. Не сможешь, даже если захочешь. Люди по-прежнему будут входить в твою жизнь и уходить из нее, и ты снова будешь страдать, и это очень хорошо. Я за тебя не беспокоюсь.

— Конечно нет...

— Что конечно?

— Что вы за меня не волнуетесь. Да вы вообще ни за кого не волнуетесь...

— Ты права... Не умею заботиться о других.

— Почему?

— Не знаю. Наверное, потому, что меня никто не интересует...

— ...никто, кроме Адриана.

— А что Адриан?

— Я думаю о нем.

— Вы за него беспокоитесь?

— Думаю, да... Да.

Во всяком случае, за него я тревожусь больше всего.

— Но почему?

— Да потому, что он несчастен.

Я обалдела.

— Вот это да! Да вовсе он не несчастен... Совсем наоборот, очень даже счастлив! Сменил помятую жену-зануду на веселую белошвейку. И жизнь его стала куда приятней, не сомневайтесь.

Я вытянула руку.

— Ну-ка, посмотрим, который сейчас час... Без четверти десять. Где наш маленький страдалец? Где же он? Может, в кино или в театре? Или ужинает где-нибудь? Они, должно быть, уже съели закуску... он щекочет ей ладошку и думает о том, что будет потом. Осторожно, официант идет! Она отнимает руку, улыбается ему в ответ. Или они уже в постели? Скорей всего... Если я правильно помню, в начале романа часто занимаются любовью...

— Ты цинична.

— Я защищаюсь.

— Что бы ни делал Адриан, он несчастлив.

— Хотите сказать — он несчастлив из-за меня? Я порчу ему все удовольствие? О, неблагодарная...

— Нет, не из-за тебя — из-за себя самого. Из-за этой жизни, в которой ничего не происходит так, как тебе хочется... И все наши усилия просто смехотворны...

— Вы правы, ах он бедняжка!

— Ты меня не слушаешь.

— Нет.

— Почему ты меня не слушаешь?

Я откусила кусок хлеба.

— Потому что вы как бульдозер — все разрушаете на своем пути. Мое горе... Что вам мое горе? Уже сейчас оно вас обременяет, а скоро начнет раздражать, я уверена. А тут еще и кровные узы... Дурацкое понятие... Вы были неспособны прижать к груди своих детей, хоть раз сказать им, что вы их любите, но при этом я точно знаю, в любой ситуации вы встанете на их защиту. Что бы они ни сказали, что бы ни сделали, они всегда будут правы перед нами, варварами. Перед нами, у которых другие фамилии.

Ваши дети не слишком часто вас радовали, но критиковать их позволено только вам. Вам одному! Адриан смылся, оставив меня и девочек. Вам это, конечно, не нравится, но я не надеюсь, что вы его обругаете. Хотя бы пара крепких выражений... это ничего бы не изменило, но мне было бы так приятно! Так приятно! Да, знаю, это выглядит жалко... Я и сама жалкая. Но всего несколько точных, обидных слов, как это умеете... Почему нет? В конце концов, я это заслужила. Я жду приговора патриарха, сидящего во главе стола. Все эти годы вы судите всех без разбора. Хороших, плохих, кто достоин вашего уважения и кто нет. Все эти годы я терплю ваши речи, ваше самоуправство, высокомерие, молчание... Всю эту липу. Показуху... Сколько же лет вы нас дурачите, Пьер...

Знаете, я ведь простая душа, мне нужно, чтобы вы сказали: «Мой сын — мерзавец, и я прошу у тебя прощения». Мне это необходимо, понимаете?

— Не рассчитывай.


Я взяла наши тарелки.

— А я и не рассчитывала.


— Хотите десерт?

— Нет.

— Ничего не хотите?

— Значит, все пропало... Я потянул не за ту ниточку... Я больше его не слушала.

— Узел еще больше затянулся, и мы сейчас как никогда далеки друг от друга. Итак, я старый дурак... Чудовище... И что там еще?

Я искала тряпку вытереть стол.

— Так что же еще?!

Я посмотрела ему прямо в глаза.

— Послушайте, Пьер, я много лет прожила с человеком, который ни на что не годился, потому что отец никогда не был ему настоящей опорой. Когда мы познакомились, Адриан вообще ни на что не мог решиться, так боялся вас разочаровать. А если он и брался за что-то, то это меня угнетало, потому что делал он это не ради себя, а для вас. Чтобы вас удивить или насолить вам. Спровоцировать или доставить удовольствие. Это было так трогательно. Мне было всего двадцать, и я пожертвовала ради него своей жизнью. Чтобы слушать его и гладить по голове, когда он не выдерживал. Я ни о чем не жалею, тогда я просто не могла поступать иначе. Я просто заболевала из-за того, что такой парень, как Адриан, занимается самоуничижением... Мы ночи напролет пытались разобраться, анализировали обстоятельства. Я тормошила его. Тысячу раз повторяла, что его история совершенно банальна! Мы принимали правильные решения и не следовали им, находили новые, и в конце концов я оставила учебу, чтобы он мог продолжить свою. Засучила рукава и три года подряд доставляла его на факультет, прежде чем отправиться на работу в подвалы Лувра. У нас был уговор: я не жалуюсь, а он больше не говорит мне о вас. Я не ставлю это себе в заслугу. Я никогда не говорила Адриану, что он лучше всех на свете. Я просто любила его. Лю-би-ла. Понимаете, о чем я?

— ...

— Теперь вы понимаете, почему мне сегодня так хреново?

Я вытерла тряпкой стол, огибая его руки, лежащие на нем.

— Доверие вернулось, блудный сын изменился. Он стал вести себя по-взрослому, вот он уже меняет старую кожу на новую под растроганным взглядом злого папочки. Согласитесь, неприятно?

— ...

— Вам нечего ответить?

— Нет. Я иду спать.

Я включила посудомоечную машину.

— Ладно, спокойной ночи.

*

Я кусала губы.

О многом, очень неприятном для меня я так и не сказала.

Я взяла стакан и села на диван. Сняла туфли и прилегла на подушки. Встала, чтобы взять бутылку на столе. Поворошила огонь в камине, погасила свет и снова зарылась в подушки.

Я жалела, что так и не смогла напиться.

Я жалела, что приехала сюда.

Я жалела... Я жалела об очень многом...

Об очень многом...

Я положила голову на подлокотник и закрыла глаза.

— Ты спишь?
— Нет.

— Он налил себе выпить и сел в кресло рядом со мной.

На улице по-прежнему завывал ветер. Мы сидели в темноте. И смотрели на огонь.

Время от времени один из нас отпивал глоток из своего стакана, другой делал то же самое.

Нам не было ни плохо, ни хорошо. Мы устали.

Потом он наконец заговорил:
— Знаешь, я бы не стал тем, кем стал — по твоим словам, — будь у меня побольше мужества...
— Что вы хотите этим сказать?
Я тут же пожалела, что откликнулась. У меня больше не было сил обсуждать все это дерьмо. Я хотела, чтобы меня оставили в покое.

— Всегда говорят о горе брошенных... А ты когда-нибудь думала, о тех, *кто* уходит?

«Господи Боже ты мой! — ужаснулась я. — Чем этот псих собирается забивать мне голову?»

Я поискала взглядом туфли.

— Завтра, Пьер... Мы вернемся к этому разговору завтра, а сейчас... С меня довольно.


— Ведь те, кто приносит несчастье, тоже страдают... Тех, *кого* бросают, все жалеют, утешают, но как быть с теми, кто уходит?

— Так им еще чего-то не хватает?! — разозлилась я. — Может быть, лаврового венка? Моральной поддержки?

Он меня не слушал.

— Какой смелостью надо обладать, чтобы однажды утром взглянуть на себя в зеркало и задать себе вопрос: «Имею ли я право на ошибку?» Отчетливо произнести каждое слово... Какой смелостью надо обладать, чтобы взглянуть жизни в лицо — и не увидеть в ней ничего стабильного, ничего гармоничного. И все сломать, разворотить — из чистого эгоизма? Конечно нет, хотя... Так в чем же дело? Инстинкт выживания? Прозорливость? Страх смерти?

Мужество быть откровенным с самим собой. Хоть раз в жизни. Противостоять себе. Только себе. Себе одному. «Право на ошибку» — простое выражение, всего несколько слов, но кто тебе скажет, есть ли оно у тебя? Кто, кроме тебя самого?

У него дрожали руки.

— Я себе в этом праве отказал... Я отказал себе во всех правах. Остались одни обязанности. И вот кем я стал — старым дураком. Старым дураком в глазах того самого человека, а их немного, к которому я испытываю уважение. Я проиграл...

У меня было много врагов. Тут нечем гордиться и не о чем сожалеть — мне плевать. А вот друзья... Люди, которым я хотел бы нравиться? Были, конечно, были, но как же мало... Ты в том числе. Ты, Хлоя, потому что ты создана для жизни. Цепляешься за нее обеими руками. Ты двигаешься, танцуешь, задаешь погоду в доме. У тебя чудесный дар — делать окружающих счастливыми. Тебе так хорошо, так уютно на нашей маленькой планете...

— У меня такое ощущение, что вы говорите о ком-то другом — не обо мне...

Он меня не услышал.

Сидел очень прямо. Больше не говорил. Вытянул ноги. Поставил стакан на колено.

Я не различала его лица.

Оно тонуло в тени высокой спинки кресла.

— Я любил одну женщину... Я говорю не о Сюзанне — о другой женщине.

Я открыла глаза.

— Я любил ее больше всего на свете.

Я не знал, что человек может так любить... Вернее, что я на это способен, я полагал, что просто... не запрограммирован на такое. Признания, бессонница, страдания, страсть — мне казалось, что все это не для меня. Да у меня одно только слово «страсть» вызывало ухмылку. Страсть, страсть! То ли гипноз, то ли суеверие — так я это понимал... В моих устах слово «страсть» было почти ругательством. А потом это обрушилось на меня, в тот момент, когда я меньше всего этого ожидал. Я... Я полюбил женщину.

Я влюбился — словно заболел. Сам того не желая, не веря, против своей воли, не имея возможности защититься, а потом...

Он откашлялся.

— А потом я потерял ее. Так же внезапно.

Я замерла. Меня словно пыльным мешком по голове ударили.

— Ее звали Матильда. То есть ее и сейчас так зовут. Матильда Курбе. Однофамилица художника...

Мне было сорок два, и я чувствовал себя стариком. Я всегда так себя ощущал. Поль был молодым. Поль всегда будет молодым и красивым.

А я – Пьер. Работяга. Трудяга.

В десять лет я уже был похож на себя сегодняшнего. Та же стрижка, те же очки, те же жесты, те же маленькие странности. Кажется, я уже тогда просил поменять мне тарелку под сыр...

Я улыбнулась в темноте.

– Сорок два года... Чего ждешь от жизни в сорок два?

Лично я ничего не ждал. Ничего. Я работал. Работал еще, и еще, и всегда. Работа была моей маскировкой, моим щитом, моим алиби. Моим предлогом, чтобы не жить. Потому что я не очень-то любил жизнь. Считал, что не создан для жизни.

Я выдумывал для себя всякие сложности. Громоздил горы на своем пути. Очень высокие. И очень крутые. Засучивал рукава и взбирался, и тут же придумывал новые. А ведь я даже не был честолюбив, просто не хватало воображения.

Он отхлебнул из стакана.

– Я... Я всего этого не знал, понимаешь... Это Матильда открыла мне глаза. Ах, Хлоя... Как же я ее любил... Как любил... Ты не спишь?

– Нет.

– Ты меня слушаешь?

– Да.

— Я тебе надоел?

— Нет.

— Не уснешь от скуки?

— Нет.

Он встал, чтобы подбросить в камин полено. И остался сидеть на корточках перед огнем.

— Знаешь, в чем она меня упрекала? В том, что я слишком болтлив. Представляешь себе? Я... Слишком болтлив! Невероятно, да? Тем не менее это правда... Я клал голову ей на живот и говорил. Говорил часами. Да что часами — днями. Я слышал гулкий звук собственного голоса — и мне это нравилось. Эдакая словесная молотилка... Я ее убалтывал. Топил в словах. Она смеялась. Говорила: *Эй, сбавь обороты, я ничего не слышу. Зачем так торопиться?*

Я должен был компенсировать сорок два года тишины. Сорок два года молчания, когда я все держал в себе. Вот что ты только что сказала? Что моя замкнутость граничит с презрением? Звучит оскорбительно, но я понимаю, в чем тут дело. Понимаю, но оправдываться не хочу. В том-то и дело... Но презрение... Нет, не думаю. Каким бы странным это ни казалось, но моя молчаливость идет, скорее, от застенчивости. Я недостаточно сильно люблю себя, чтобы придавать хоть какое-то значение собственным словам. Сто раз подумай, прежде чем открыть рот! — гласит пословица. Так вот — я всегда думал сто один раз.

Людям тяжело со мной... Я не любил себя до Матильды и еще меньше люблю теперь. Наверно, поэтому я кажусь таким черствым...


Он снова уселся в кресло.

— На работе я человек жесткий, но там я играю роль, понимаешь? Я просто обязан быть жестким. Обязан держать подчиненных в страхе. Представляешь, что было бы, узнай они мою тайну? Что было бы, узнай они, что я на самом деле робкий? Что мне приходится затрачивать в три раза больше усилий, чем другим, на одну и ту же работу? Что у меня плохая память? Что я тугодум? Понимаешь? Да знай мои сотрудники все это, они бы меня заживо сожрали!

А еще я не умею нравиться людям... Как говорится, у меня нет харизмы. Если я объявляю о повышении зарплаты, то делаю это резким тоном, не отвечаю, когда меня благодарят, когда мне хочется проявить любезность, я не даю себе волю, а если хочу сообщить хорошую новость, поручаю это Франсуазе. В плане менеджмента, человеческих ресурсов, как теперь говорят, — я безнадежен.

Именно Франсуаза против моей воли записала меня на курсы усовершенствования для отставших от жизни начальников. Глупость несусветная... Просидеть два дня взаперти в «Конкорд Лафайет», слушая демагогические рассуждения психолога и экзальтированного американца, который после семинара продавал слушателям свою книгу. *Быть лучшим в работе и любви* — так она называлась. Чушь какая-то...

В конце всем нам вручили «Диплом чуткого начальника». Я отдал бумажку Франсуазе, и она прикнопила ее к шкафу, где хранит моющие средства и туалетную бумагу.

«Интересно было?» — спросила она.

«Удручающе скучно».

Она улыбнулась.

«Послушайте, Франсуаза, — добавил я, — поскольку вас тут считают кем-то вроде Бога-Отца, передайте заинтересованным лицам, что я, может, и не слишком любезен, зато они никогда не потеряют работу — я хорошо считаю в уме».

«Аминь», — прошептала она в ответ, склонив голову.

— Я действительно за двадцать пять лет тиранического правления не уволил ни одного человека и не пережил ни одной забастовки. Даже в начале трудных девяностых. Ни одного, понимаешь?

— А Сюзанна?

— ...

— Почему вы с ней так суровы?

— А я разве суров?

— Да.

— Насколько?

— Настолько.

Он снова откинул голову на спинку кресла.


— Когда Сюзанна поняла, что я ей изменяю, все было давно в прошлом. Я... Ладно, потом расскажу. Мы тогда жили на улице Конвента. Я не любил ту квартиру, мне не нравилось, как она была отделана. Я там задыхался. Слишком много мебели, слишком много безделушек, слишком много семейных фотографий, всего слишком много... Впрочем, тебе все это неинтересно. Я приходил туда ночевать, кроме того, там жила моя семья. Только и всего. Однажды она попросила меня повести ее ужинать, и мы отправились в заштатную пиццерию в нашем же доме. В зале горели лампы дневного света, и выглядела Сюзанна просто ужасно. Она и так уже успела принять оскорбленный вид, а тут еще эта жалкая забегаловка. Я ведь не нарочно, я не хотел быть жестоким. Просто предчувствуя, что меня ожидает, не хотел уходить слишком далеко от дома... Я оказался прав — едва дочитав меню, она разрыдалась.

Она все знала. Что женщина эта намного моложе. И сколько длится наш роман, и почему меня никогда нет дома. Она больше не хотела это терпеть. Назвала меня чудовищем. Чем она заслужила подобное пренебрежение? Почему я так с ней обращаюсь? Словно она прислуга. Сначала она на все закрывала глаза. Что-то подозревала, конечно, но доверяла мне. Думала, что это временное помешательство, безрассудство, желание нравиться, удостовериться в своей мужской силе. Или все дело в работе... Трудная, ответственная — она отнимала много времени. А она, вот же идиотка, все силы отдавала обустройству нового дома. На другое ее просто не хватало. Не могла же она думать обо всем сразу! Она мне доверяла! А потом я заболел, и она опять закрыла на все глаза. Но вот теперь она дошла до предела. Нет, она больше не в силах терпеть. Мой эгоизм, мое презрение, то, как... В этот момент ее прервал официант, и выражение ее лица мгновенно изменилось. Улыбаясь, она принялась расспрашивать его о бог его там знает каких тортеллини. Я был поражен. Когда официант повернулся ко мне, я в полном смятении пробормотал: «Т... то же, что для мадам...» Знаешь, мне и в голову не пришло заглянуть в проклятое меню!

Вот тут-то я и оценил всю силу Сюзанны. Безграничную силу. Она как дорожный каток. Я вдруг понял, что она намного сильнее меня и ее на самом деле ничем не прошибешь. Она прицепилась ко мне только потому, что у нее появилось свободное время. Отделка дома на берегу моря была закончена, последняя рамка повешена на гвоздь, последний карниз прибит, Сюзанна обратила свой взор на меня и ужаснулась тому, что увидела.

Я едва отвечал, вяло отбиваясь, я ведь говорил тебе, что к тому моменту уже потерял Матильду...

А потом я отключился: просто сидел и смотрел, как моя жена беснуется в маленькой пиццерии в пятнадцатом округе Парижа.

Она размахивала руками, по ее щекам текли крупные слезы, она сморкалась и подбирала хлебом соус с тарелки. А я тем временем все наматывал на вилку несколько спагетти, так и не донося их до рта. Мне самому ужасно хотелось плакать, но я держался...

— Почему?

— Думаю, все дело в воспитании... Кроме того, я все еще чувствовал себя ужасно слабым... Боялся расклеиться. Только не это. Не сейчас. Не при ней. Не в этой мерзкой забегаловке. Я был... Как бы тебе это объяснить... Таким уязвимым в тот момент.

Она сказала, что консультировалась с адвокатом, чтобы начать процедуру развода. Я насторожился. Адвокат? Сюзанна просит развода? Я и представить себе не мог, что дело зашло настолько далеко, что она оскорблена до такой степени... Она встречалась с этой адвокатессой — невесткой одной из ее подруг. Долго колебалась, но в конце концов решилась. Она приняла это решение, когда в воскресенье вечером мы возвращались в Париж из загородного дома и я всю дорогу молчал, лишь один раз с ней заговорил — попросил монету для автомата, чтобы уплатить дорожную пошлину. Она тогда придумала этакую супружескую русскую рулетку: если Пьер со мной поговорит, я останусь, если нет — разведусь с ним.

Я был поражен. Не знал, что она так азартна.

На лицо Сюзанны вернулись краски, во взгляде появилась уверенность. Конечно, она отвела душу, все мне припомнила: бесконечные командировки, безразличие к жизни семьи, детей, которых я просто не замечал (даже дневников не подписывал!), годы, потраченные на то, чтобы мне жилось комфортно — лишь бы Пьеру было удобно, у него работа, предприятие. Предприятие это, кстати, принадлежало *ее* семье, *ей*. А как она до самого конца заботилась о моей бедной матери! Короче, она все перечислила, ничего не забыла — словно собиралась требовать компенсации за моральный ущерб!

Я тоже постепенно приходил в себя, благо обсуждение перешло в более привычную для меня плоскость. Так чего она хочет? Денег? Сколько? Пусть назовет — я готов был достать чековую книжку.

Но нет, вот это в моем духе. Напрасно я надеюсь так легко отделаться... До чего же я жалок... Она снова принялась всхлипывать, не забывая о своем десерте. Ну почему, почему я никак не пойму? Не все в жизни определяет материальная сторона. Не все можно купить за деньги. Не все исправить. Зачем я придуриваюсь? У меня что, совсем сердца нет? Ужасно, просто ужасно...

«Но почему же ты в конце концов не подашь на развод?» — не выдержал я и раздраженно заявил, что возьму всю вину на себя. Всю, целиком? Даже отвратительный характер моей матери, готов засвидетельствовать это письменно, если ей угодно. Но только, Бога ради, не нужно никаких адвокатов, лучше пусть скажет, сколько ей заплатить.

Я задел ее за живое.

Она подняла голову и посмотрела мне прямо в глаза. Впервые за долгие годы мы так долго смотрели друг на друга. Я пытался найти в этом лице что-то новое. Возможно, нашу молодость... То время, когда она не плакала из-за меня. Когда ни одна женщина из-за меня не плакала, а сама мысль говорить о чувствах, сидя за столом, казалась мне невероятной.

Но ничего такого я не нашел, лишь печальную гримасу жены, признавшей свое поражение и готовой перейти к признаниям. Оказывается, она больше не встречалась с той адвокатшей, у нее не хватило духу. Она любила свою жизнь, свой дом, своих детей и даже продавцов, у которых обычно делала закупки... Ей было стыдно в этом себе признаваться, но – увы! – так оно и есть: у нее не хватает духу уйти от меня.

Не хватает духу.

Я могу бегать по бабам, если уж мне так хочется, могу спать с другими женщинами, если мне так это необходимо, но она – не уйдет. Она не хочет терять то, что завоевала. Общественное положение. Друзей, знакомых, друзей наших детей. И новехонький дом, в котором мы даже ни разу не ночевали... Нет, она не хочет так рисковать. В конце концов, ну что ей с того? Многие мужчины обманывают своих жен... Уйма мужчин... Она доверилась мне и разочарована, что все кончилось так банально, но что поделаешь! Мужчины ведь думают не головой, а тем, что болтается у них между ногами. Нужно смириться и переждать грозу. Да, она сделала первый шаг, но при одной только мысли о том, чтобы перестать быть мадам Пьер Диппель, она почувствовала себя обескровленной. Ну что же, тем хуже для нее. Без детей, без меня она ничто.

Я протянул ей свой платок. «Ничего страшного, – добавила она, пытаясь улыбнуться, – ничего страшного. Я остаюсь с тобой, потому что не нашла лучшего выхода. Я допустила ошибку – я, Женщина, Которая Все Всегда Предвидит, тут... Не доглядела, так сказать». Она улыбнулась сквозь слезы.

Я похлопал ее по руке. Ну-ну, все прошло. Никуда я не денусь. У меня никого нет. Никого. Все кончено. Кончено...

Мы пили кофе, обсуждая безвкусный интерьер пиццерии и усы хозяина.

Старые боевые друзья, со шрамами на душе и теле.

Мы приподняли громадный валун — и тут же уронили его обратно.

То, что под ним копошилось, было слишком отвратительно.


В тот вечер, в темноте, я целомудренно заключил Сюзанну в свои объятия. На большее я был не способен.

А ночь я опять провел без сна. Ее признания не только не успокоили меня — они разбередили мне душу. Должен тебе сказать, я в то время был совсем плох. Все задевало меня за живое. Я действительно попал в ужасную ситуацию: потерял женщину, которую любил, и только что понял, что еще и оскорбил другую... Такая вот история... Я утратил любовь всей моей жизни и остался с женщиной, которая не бросала меня исключительно из-за привязанности к колбаснику и молочнику. Положение было безвыходное. Кошмарное. Ни Матильда, ни Сюзанна этого не заслуживали. Я проиграл по всем статьям. Никогда еще я не чувствовал себя таким ничтожеством...

Лекарства тут тоже помочь не могли, но, будь у меня побольше мужества, я бы той ночью повесился.

Он залпом допил вино.


— Но ведь Сюзанна... Не скажешь, что она с вами несчастлива...

— Ты так думаешь? Как ты можешь об этом судить... Она что, говорила тебе, что счастлива?

— Нет. Не совсем так. Она прямо не говорила, но дала понять... В любом случае, Сюзанна не из тех женщин, которые станут задаваться подобным вопросом...

— Да, не из тех... Впрочем, тем она и сильна. Знаешь, той ночью я именно из-за нее чувствовал себя таким несчастным. Как подумаю, во что она превратилась... Законченная мещанка... Видела бы ты, какой она была красоткой, когда мы познакомились. Это не значит, что я хвастаюсь, гордиться мне особо нечем. Это по моей вине она так поблекла и увяла. Для меня Сюзанна всегда была «той, что рядом». Под рукой. На том конце провода. С детьми. На кухне. Той, которая тратила заработанные мною деньги и обеспечивала комфортную жизнь нашему семейству, никогда не жалуясь. Ничего другого я в ней просто не видел.

Какой из секретов Сюзанны я попытался разгадать? Да никакой. Я когда-нибудь расспрашивал ее о ней самой, о ее детстве, воспоминаниях, сожалениях, усталости, наших любовных отношениях, о ее несбывшихся надеждах, мечтах? Нет. Никогда. Ничто меня не интересовало.

— Не травите себе душу, Пьер. Вы не можете взвалить на себя ответственность за все. В самобичевании есть, конечно, своя прелесть, и все же... В образе Святого Себастьяна вы не слишком убедительны, знаете ли...

— Ладно, ладно, ничего старику не спускаешь! Ты моя любимая маленькая насмешница. Вот почему мне так грустно тебя терять. Кто будет меня подкалывать, если мы расстанемся?

— Ничего, будем время от времени обедать вместе...

— Обещаешь?

— Да.

— Ну да, сейчас-то ты обещаешь, а потом обманешь, я уверен...

— Назначим день — скажем, первую пятницу каждого месяца, идет?

— Почему пятницу?

— Да потому, что я люблю хорошую рыбу! Вы ведь станете меня водить в дорогие рестораны, правда?

— В лучшие!

— Какое счастье! Только вам придется подождать...

— Долго?

— Да.

— Сколько?

— ...

— Ладно. Я потерплю.

Я поправила полено в камине.


— Возвращаясь к разговору о Сюзанне... Вы, к счастью, нисколько не виноваты в том, что она «обуржуазилась». Некоторые вещи, слава Богу, происходят и без вашего высочайшего позволения. Это как изделия, на которых стоит гордое *«By appointment to Her Majesty»*[1]. Сюзанна стала такой, как стала, без вашего *«appointment»*. Вы, конечно, зануда и педант, но вы не всемогущи! Образ дамы-патронессы, хозяйки дома, собирающей купоны и

---

[1] Поставщик королевского двора (*англ.*).

кулинарные рецепты, − она сама его вылепила. Природа взяла свое. Это у нее в крови: *Я сметаю пыль, Обсуждаю, Сужу и Прощаю.* Очень утомительно − меня, во всяком случае, это утомляет, но такова оборотная сторона ее достоинств, а их ведь у нее немало, правда?

− Да. Бог свидетель... Хочешь чего-нибудь попить?

− Нет, спасибо.

− Может, травяной чай?

− Нет-нет. Предпочитаю потихоньку напиваться...

− Ладно... хорошо, я оставлю тебя в покое.


− Пьер...

− Да?

− Я в себя не могу прийти.

− От чего?

− От всего того, что вы мне рассказали...

− Я тоже.


− А как насчет Адриана?

− А что насчет Адриана?

− Вы ему скажете?

− Что я должен ему сказать?

− Ну... Все это...

− Представь себе, Адриан приходил ко мне.

− Когда?

− На той неделе и... Я с ним не говорил. То есть не говорил о себе, только слушал...

− Что он вам сказал?

— То, что я и так знал... Что он несчастен, что не знает, на каком свете живет...

— Он откровенничал с вами?!

— Да.

Я снова заплакала.

— Тебя это удивляет?

Я качала головой.

— Я чувствую себя преданной. Даже вы. Вы... Ненавижу все это. Я с людьми так не поступаю...

— Успокойся. Ты все путаешь. Кто говорит о предательстве? Где же тут предательство? Он явился без предупреждения, и я предложил ему поговорить вне дома. Выключил сотовый, и мы спустились на стоянку. В тот момент, когда я заводил машину, он произнес: «Я собираюсь оставить Хлою». Я никак не отреагировал. Мы выехали. Я не хотел задавать вопросов, ждал, когда он сам заговорит... Вечная проблема отношений с сыном... Я боялся его спугнуть. Не знал, куда ехать. Признаюсь тебе, я и сам был слегка ошарашен. Поехал по Марешо, открыл пепельницу.

— И что? — спросила я.

— А ничего. Он женат. У него двое детей. Он все обдумал. Он считает, что будет лучше...

— Замолчите, замолчите же... Я знаю продолжение.

Я встала, чтобы взять пачку бумажных салфеток.

— Вы, наверное, гордитесь им, да? Он, по-вашему, правильно поступает, ведь так? Ведет себя по-мужски! Храбро. Вот это реванш так реванш...

— Оставь этот тон.

— Говорю, как хочу, и скажу вам все, что думаю... Вы еще хуже его. У вас-то ведь ничего не получилось. Да-да, не получилось, а теперь вы взираете на него с высоты своего величия, и его ситуация, его интрижка вас утешает. По-моему, это гадко. Меня тошнит от вас обоих.


— Ты сама не понимаешь, что говоришь. И знаешь это, правда? Знаешь, что несешь несусветную чушь?

Он говорил со мной очень мягко.


— Если бы дело было только в интрижке, мы бы сейчас это не обсуждали, и ты это знаешь...


— Хлоя, не молчи.

— Второй такой идиотки на свете нет... Нет. Не спорьте хоть раз. Не спорьте, доставьте мне такое удовольствие.

— Я могу тебе кое в чем признаться? Учти, для меня это не просто.

— Валяйте, хуже мне все равно не станет...

— Думаю, это хорошо.

— Что — хорошо?

— То, что с тобой случилось...

— Хорошо, что я такая идиотка?

— Нет. Хорошо, что Адриан ушел. Полагаю, ты заслуживаешь лучшего... Большего, чем эта вымученная веселость... Тебе не к лицу подпиливать ногти в метро, рассеянно листая записную книжку... Хватит с тебя сериала о сквере Фирмен-Жедон... И того, во что вы оба превратились... То, что я сейчас говорю, оскорбительно, ведь так? И вообще, зачем я вмешиваюсь? Да, это оскорбительно. Тем хуже. Не могу больше притворяться, я тебя слишком люблю. По-моему, Адриан был не на высоте. Вот что я думаю...

Да, это оскорбительно, потому что он мой сын и я не должен был бы *так* о нем говорить... Знаю. Но я старый дурак, и мне плевать на приличия. Я говорю все это, потому что доверяю тебе... Ты... Ты заслуживала большего. И если бы в это самое мгновение ты была так же честна, как я, ты бы, конечно, обиделась — но все-таки призадумалась...

— Что вы несете?

— Ну вот. Обиделась...

— Что вы строите из себя психоаналитика?..

— Внутренний голос никогда не нашептывал тебе, что ты достойна большего?

— Нет.

— Нет?

— Нет.

— Ладно. Значит, я ошибся...

Он подался вперед, опершись руками о колени.


— А я вот полагаю, что тебе следовало бы в один прекрасный день подняться...

— Откуда подняться?

— Из подземелья.

— У вас обо всем свое мнение, да?

— Нет. Не обо всем. Но что это за работа — копаться в музейных подвалах, когда все знают, на что ты способна? Пустая трата времени. Чем ты, собственно говоря, занимаешься? Копируешь? Делаешь слепки? Рукодельничаешь. Милое дело! И сколько это будет продолжаться? До пенсии? Только не говори, что чувствуешь себя счастливой в этой крысиной дыре...

— Нет, нет! Что вы, конечно, я ничего подобного вам не скажу, — иронично ответила я.

— Будь я твоим возлюбленным, вытолкал бы тебя взашей на свет Божий. У тебя есть способности, и ты это знаешь. Исполни же свое предназначение. Употреби дар с толком. Возьми на себя ответственность. Я бы поставил тебя лицом к миру и сказал: «Дело за тобой. Давай, Хлоя. Покажи, на что ты способна».

— А если я ничего не могу?

— Значит, у тебя будет возможность это выяснить. И прекрати кусать губы, видеть этого не могу.

— Почему вы все так хорошо понимаете про других и ничего — про себя?

— Я уже ответил на этот вопрос.

— В чем дело?

— По-моему, Марион плачет...

— Я не слышу...

— Тссс...


— Все в порядке, она заснула.

Я натянула на себя плед.

— Пойти посмотреть?

— Нет, подождем немного.


— И чего же я, по-вашему, заслуживаю, господин Всезнайка?

— Ты заслуживаешь того, чтобы тебя оценили по заслугам.

— То есть?

— То есть обращались с тобой, как с принцессой. Принцессой Нового времени.

— Пфф... Ерунда.

— Согласен. Я готов болтать невесть что, лишь бы ты улыбнулась... Улыбнись мне, Хлоя.

— Вы псих.

Он встал.

— Ага... Замечательно! Так-то лучше. Умнеешь на глазах... Да, я псих, и знаешь что еще? Я псих и хочу есть. Что можно съесть на десерт?

— Посмотрите в холодильнике. Можно доесть детские йогурты...

— Где?

— В самом низу.

— Маленькие розовые коробочки?

— Да.


— А ничего...

Он облизал ложку.

— Видели название?

— Нет.

— Так посмотрите, их как будто специально для вас делали.

— *Маленькие мошенники...* Смешно.

*

— Как насчет того, чтобы пойти спать?

— Пожалуй.

— Ты хочешь спать?

— Где уж тут уснуть со всеми этими разговорами? Мне все кажется, будто я кашу в котле мешаю...

— Я распутываю клубок, ты кашу в котле мешаешь. Какие занятные картинки...

— Вы — математик, а я — клуша.

— Клуша? Чушь какая. Моя принцесса — клуша... Господи, сколько же глупостей ты наговорила за один вечер.

— Вам тяжело?

— Еще как.

— Почему?

— Не знаю. Возможно, потому, что говорю, что думаю. Не так часто это случается... Я уже не боюсь не понравиться.

— Даже мне?

— Ну, ты-то меня любишь, тут волноваться не о чем!

— Пьер...

— Да?

— Что случилось с Матильдой?

*

Он посмотрел на меня. Открыл и тут же закрыл рот. Скрестил ноги и через секунду изменил позу. Встал. Помешал угли в камине. Опустил голову и прошептал:

— Ничего. Ничего не случилось. Или почти ничего. У нас было так мало дней, так мало часов... Знаешь, и правда почти ничего.

— Вам не хочется об этом говорить?

— Не знаю.

— Вы больше никогда не виделись?

— Виделись. Один раз. Несколько лет назад. В садах Пале-Рояля...

— И что?

— А ничего.

— Как вы встретились?

— Знаешь... Если начну рассказывать, то нескоро закончу...

— Я ведь сказала, что не хочу спать.

Он принялся рассматривать рисунок Поля. Ему было трудно начать.


— Когда все это было?

— Это было... Впервые я увидел ее 8 июня 1978 года, около одиннадцати утра по местному гонконгскому времени. Мы находились на двадцать девятом этаже башни Хьятт, в кабинете господина Сингха — ему понадобились мои услуги, чтобы начать бурение где-то на Тайване. Чему ты улыбаешься?

— Вашей точности. Она с вами работала?

— Она была моей переводчицей.

— С китайского?

— Нет, с английского.

— Но вы ведь говорите по-английски, разве нет?

— Не слишком хорошо. Недостаточно хорошо для столь серьезных переговоров — это дело тонкое. Языком надо владеть виртуозно. Не улавливаешь подтекст — теряешь контроль. Я к тому же не владел терминологией, чтобы обсуждать технические тонкости, а кроме того, никогда не мог привыкнуть к китайскому акценту. В конце каждого слова мне мерещилось «тинь-тинь».

— Ну и что?

— А то, что я был совершенно сбит с толку. Готовился работать со старым англичанином, переводчиком из местных — Франсуаза полюбезничала с ним по телефону и пообещала мне: «Увидите, он настоящий джентльмен...» Куда там! Вообрази — я прилетел, огромная разница во времени, нервы на пределе, я волнуюсь, трясусь как осиновый лист — и ни одного тебе британца на горизонте. Сделка очень важная, обеспечит работой нашу фирму на два года вперед, если не больше. Не знаю, можешь ли ты все это понять...

— А чем вы торговали?

— Я продавал емкости — баки.

— Баки?

— Ну да... Но не бытовые, не обычные, а...

— Да ладно, мне все равно! Продолжайте!

— Так вот, я был на взводе. Работал над этим проектом много месяцев, вложил в него кучу денег. Фирма залезла в долги, да и собственные деньги я потратил. То, что я затеял, позволяло мне оттянуть закрытие завода в Нанси. Там работало восемнадцать человек. А на меня еще наседали братья Сюзанны, эти бездельники, караулили каждый мой шаг, и я знал, что в случае чего они меня не пощадят... В довершение всех бед я страшно мучился несварением, уж извини за такие подробности, но я... Короче говоря, я вошел в этот кабинет, готовый драться не на жизнь, а на смерть, и, поняв, что вручаю свою судьбу этой... этому созданию, чуть в обморок не грохнулся.

— Но почему?

— Знаешь, нефтяной бизнес — это мир мачо. Сегодня все немножко иначе, но тогда женщин в нем почти не было...

— Ну да, к тому же вы и сами...

— Что я сам?

— Вы сами чуточку мачо...

Он не стал спорить.


— Да нет, подожди, ты поставь себя на мое место! Я ожидал увидеть старого англичанина-флегматика колониальной закалки, усатого, в помятом костюме, и нате вам — уперся взглядом в декольте молоденькой женщины... Это было выше моих сил. Такого я не хотел... Почва уходила у меня из-под ног. Она же объясняла мне, что мистер Магу приболел и ее предупредили только вчера вечером, и с силой жала мне руку, будто подбадривая. Так, во всяком случае, она объяснила мне это потом: мол, трясла мою руку изо всех сил, потому что выглядел я неважнецки.

— Его что, и правда звали мистер Магу?

— Да нет, конечно, это имя я только что придумал.

— И что было дальше?

— А дальше я прошептал ей на ухо: «Но вы ведь в курсе дела... Вы знаете задачу... Она довольно специфична... Не знаю, предупредили ли вас...» И тут она одарила меня чудесной улыбкой. Одной из тех улыбок, которые словно говорят вам: «Да брось, дружище, не грузи меня!»

Я был сражен.

Наклонился к ее изящной шейке. От нее хорошо пахло. Просто изумительно... У меня в голове все смешалось. Катастрофа. Она сидела напротив меня, по правую руку от шустрого китайца, который держал меня на крючке. Она положила подбородок на сплетенные пальцы и то и дело бросала на меня подбадривающие взгляды. В этих улыбочках исподтишка было что-то жестокое, и я понимал, что совершенно запутался. Я почти не дышал. Сложил руки на животе, пытаясь успокоиться, и молился. Я был полностью в ее власти. Мне предстояло пережить самые прекрасные часы моей жизни.

— Красиво излагаете...

— Смеешься?

— Да нет же, вовсе нет!

— Нет. Смеешься. Все, конец истории.

— Нет, прошу вас! Продолжайте. Что было дальше?

— Ты меня сбила.

— Больше не произнесу ни слова.

— ...

— Ну же, что было потом?

— Когда потом?

— Потом, на переговорах с китайцами.

— Вы улыбаетесь. Почему? Ну расскажите же!

— Я улыбаюсь, потому что это было невероятно... Она была невероятна... Ситуация была совершенно невероятной...

— Прекратите улыбаться сами с собой! Расскажите мне! Рассказывайте, Пьер!

— Ладно... Сначала она с невероятной серьезностью вытащила из сумки маленький пластиковый очешник «под крокодила». Водрузила на нос пару ужасных очков. Знаешь, такие — строгие, в белой металлической оправе, как носят учительницы-пенсионерки. И с этого мгновения лицо ее закрылось. Она смотрела на меня совершенно иначе, ждала, чтобы я начал отвечать урок.

Я говорил, а она переводила. Я был потрясен, потому что перевод был практически синхронный. Не знаю, как ей это удавалось. Она слушала и повторяла мои слова практически одновременно. Это и правда была совершенная фантастика... Сначала я говорил медленно, потом все быстрее и быстрее. Наверное, хотел ее прижать. Но она и глазом не моргнула, напротив — ей явно нравилось договаривать мои же фразы раньше меня. Уже тогда она давала мне понять, насколько я предсказуем...

А потом она встала и подошла к доске, чтобы перевести кривые графиков. А я воспользовался моментом, чтобы разглядеть ее ноги. В ней было нечто старообразное, немодное, абсолютно анахроничное. Юбка-шотландка до колен, темно-зеленый гарнитур и... Чему ты снова смеешься?

— Слову: гарнитур. Ужасно забавно!

— Ну знаешь! Не вижу ничего забавного! Чем тебе не угодило это слово?

— Все нормально, все в порядке...

— Вот ведь дурочка...

— Молчу, молчу.

— Даже лифчик на ней был старомодный... У нее была высокая грудь — как у девушек во времена моей молодости. Красивая грудь — не слишком большая, острые соски смотрели в разные стороны... Меня заворожил ее живот. Он у нее был — маленький и круглый, круглый, как у птички. Этот прелестный животик деформировал клетку на юбке, и он был... как раз мне по руке... Пытаясь получше разглядеть ноги, я вдруг заметил ее смущение. Она замолчала. Покрылась румянцем. Лоб, щеки, шея стали совершенно розовыми. Цвета маленькой креветки. Она испуганно смотрела на меня.

— Что происходит? — спросил я.

— Вы... Вы не поняли, что он сказал?

— Ннн... Нет. А что он сказал?

— Вы не поняли или не слышали?

— Я... Я не знаю... Вообще-то я не слушал...

Она опустила глаза. Она была взволнована. Я воображал худшее, ляп, промах... уже было считал, что все кончено, пока она поправляла свой пучок.

— Что происходит? Возникли проблемы?

Китаец смеялся, говорил ей что-то, что я не мог разобрать. Я совершенно растерялся. Ничего не понимал. Чувствовал себя полным идиотом!

— Да что он, в конце-то концов, говорит? Переведите мне!!!

Она что-то мычала.

— Дело табак?

— Нет, нет, не думаю...

— Тогда что?

— Господин Сингх сомневается, уместно ли сегодня говорить с вами о столь серьезном деле...

— Но почему? Что не так?

Я повернулся к китайцу, чтобы успокоить его. Качал, как дурак, головой, пытался изобразить на лице улыбку победоносного *french manager*[1]... А толстяк продолжал веселиться. Он был так доволен собой, что его глаз уже совсем не было видно.

— Я сказал глупость?

— Нет.

— Вы сказали глупость?

— Я? Конечно нет! Я всего лишь перевожу слово в слово вашу тарабарщину!

— Так в чем же тогда дело?!

Я чувствовал, как крупные капли пота стекают у меня под мышками.

Она смеялась, обмахивалась. И как будто слегка нервничала.

— Господин Сингх говорит, что вы не можете сосредоточиться.

— Да нет же, я сосредоточен! Я очень даже сосредоточен! *I am very concentrated!*

— *No, no,* — отвечал китаец, качая головой.

— Господин Сингх говорит, что вы не можете сосредоточиться, потому что влюбились, и господин Сингх не хо-

---

[1] Французский менеджер (*англ.*).

чет вести дела с влюбленным французом. Он считает, что это слишком опасно.

Теперь уже я стал пунцовым.

— Нет, нет... *No, no!* Все в порядке. *I am fine, I mean I am calm*[1]... *I... I...*

Я попросил ее:

— Скажите ему, что это не так. Что со мной все в полном порядке. Скажите, что... *I am okay. Yes, yes, I am okay*[2].

Я волновался все сильнее.

На ее лицо вернулась улыбка.

— Это неправда?

Черт, во что я вляпался?

— Нет, да, нет, Боже, да какое это имеет значение... Я имею в виду, что никаких проблем нет... Я... *There is NO problem, I am fine!*[3]

Думаю, все они веселились от души, глядя на меня. И толстяк Сингх, и его свита, и девушка.

Она не попыталась меня подбодрить:

— Так это правда или нет?

— Неправда, — солгал я.

— Слава Богу! А то вы меня напугали...

«Чертовка», — подумал я.

Она отправила меня в нокаут.


— И что было потом?

— Мы вернулись к работе. Как настоящие профи. Так, словно ничего не случилось. Я был весь мокрый. Мне ка-

---

[1] Я прекрасно себя чувствую. Я спокоен (*англ.*).
[2] Со мной все в порядке (*англ.*).
[3] Никаких проблем. Я прекрасно себя чувствую (*англ.*).

залось, что меня ударило током высокого напряжения, мне и правда было несладко. Я не смотрел на нее. Не хотел на нее смотреть. Хотел, чтобы ее вообще не было. Не мог заставить себя повернуться к ней. Мечтал, чтобы она куда-нибудь провалилась, и я вместе с ней. И чем больше я ее игнорировал, тем сильнее влюблялся. Все было именно так, как я тебе говорил: я заболел. Знаешь, как бывает... Ты чихаешь. Один раз. Второй. У тебя начинается озноб — и вот, нате вам. А дальше уже ничего не поделаешь, дело сделано. Со мной тогда произошло нечто подобное: я попался, я пропал. Надежды на спасение не было, и когда она переводила мне слова Сингха, я зарывался с головой в лежавшие передо мной на столе бумаги. Она, вероятно, здорово развлекалась. Эта пытка длилась почти три часа... Что с тобой? Замерзла?

— Чуть-чуть, но я в порядке, в порядке... Продолжайте. Что случилось потом?

Он наклонился ко мне, помог поправить плед...

— А ничего. Потом... Я же говорил тебе, что тогда пережил лучшее... Потом я... Это было... Потом все было далеко не так весело.

— Но не сразу.

— Нет. Не сразу. Было еще кое-что... Но все то время, что мы потом провели вместе, казалось мне украденным...

— У кого?

— У кого? Или у чего? Если бы я только знал...

Итак, после встречи я сложил бумаги и завинтил колпачок на ручке. Встал, пожал руку моим мучителям и вышел. В лифте, когда закрылись двери, мне и вправду показалось, что я проваливаюсь в какую-то черную яму. Я был опустошен, выжат, к глазам подступали слезы. Нервы сдавали, наверное... Я чувствовал себя таким ничтожным, таким одиноким... Да, это главное — одиноким. Я вернулся в свой номер в гостинице, заказал виски, приготовил себе ванну. Я даже не знал ее имени. Я ничего о ней не знал. Перечислял, загибая пальцы, то, что мне было известно: она замечательно говорит по-английски. Она умна... Очень умна. Слишком умна? Ее познания в области техники, науки и черной металлургии просто ошеломили меня. Она брюнетка. Очень хорошенькая. Рост... Ну, примерно... 1 метр 66 сантиметров... Она надо мной посмеялась. Не носила обручального кольца, а под одеждой угадывался самый восхитительный в мире животик. Она... Что еще сказать? По мере того как остывала вода в ванне, таяли мои надежды.

Вечером я отправился ужинать с сотрудниками из «Комекса». Ничего не ел. Кивал. Отвечал наугад да или нет. И думал только о ней.

Постоянно, понимаешь?

Он опустился на колени перед камином и медленно подкачал мехи.

— Когда я вернулся в гостиницу, портье протянула мне ключ и записку. На бумажке мелким почерком было написано: «Так это неправда?»

Она сидела в баре и смотрела на меня с улыбкой.

Пока я шел к ней, я потихоньку бил себя в грудь.

Постукивал по моему бедному сердцу, чтобы оно забилось.

Я был так счастлив. Я ее не потерял. Пока не потерял.

Счастлив и еще удивлен, потому что она переоделась. Теперь на ней были старые джинсы и какая-то бесформенная майка.

— Вы переоделись?

— Ну... Да.

— Почему?

— Когда вы видели меня днем, я была в «маскарадном костюме». Я всегда так одеваюсь, когда работаю с китайцами старой закалки. Заметила, что им это правится, стиль *old-fashioned*[1], их это успокаивает... Не знаю, как это объяснить... Они мне больше доверяют. Я маскируюсь под старую деву и становлюсь безобидной.

— Но вы вовсе не были похожи на старую деву, уверяю вас! Вы... Вы были очень красивы... Вы... Я... Ну, в общем, по-моему, зря...

— Зря я переоделась?

— Да.

— Вы тоже предпочитаете видеть меня более безобидной?

Она улыбалась. Я таял.

— Не думаю, что вы менее опасны в той коротенькой зеленой юбочке. Вот уж нет, отнюдь нет, совсем нет.

Мы заказали китайское пиво. Ее звали Матильда, ей было тридцать, и то, что она так поразила меня своими знаниями специальной лексики, не было ее личной за-

---

[1] Старомодный (*англ.*).

слугой: отец и двое ее братьев работали на компанию «Шелл», и потому она знала всю терминологию наизусть. Матильда успела пожить во всех нефтедобывающих странах мира, сменила пятьдесят школ и выучила тысячи ругательств на всех языках. У нее, по сути дела, и дома-то своего не было. И имущества тоже. Только воспоминания. И друзья. Она любила свою работу. Переводить мысли и жонглировать словами. Сейчас она в Гонконге, потому что тут работы хоть отбавляй. Она любила этот город, где небоскребы вырастают за ночь, а на каждом шагу попадаются сомнительные забегаловки, где можно перекусить. Ей нравилась энергия этого города. В детстве она провела несколько лет во Франции и время от времени ездит туда повидаться с кузенами. Однажды она купит там дом. Любой, и неважно где. Только бы там были коровы и камин. Она тут же со смехом призналась, что коров на самом деле боится! Она таскала у меня сигареты из пачки и, прежде чем ответить на мой вопрос, всякий раз поднимала глаза к потолку. Меня она тоже кое о чем спрашивала, но я отмахивался, мне хотелось слушать ее, я слушал звук ее голоса, этот едва уловимый акцент, старомодные выражения, непонятные словечки. Я ловил их на лету, хотел пропитаться ею, запомнить ее лицо. Я уже обожал ее шею, руки, форму ногтей, по-детски выпуклый лоб, прелестный маленький носик, родинки, серьезные глаза и круги под ними... Я совершенно впал в детство. Опять улыбаешься?

— Я вас не узнаю...

— Тебе все еще холодно?

— Нет, все в порядке.

— Она меня завораживала... Я хотел, чтобы Земля перестала вращаться. Чтобы эта ночь никогда не кончалась. Я не хотел с ней расставаться. Никогда. Хотел просто сидеть в этом кресле и слушать, как она рассказывает мне о себе до скончания времен. Я хотел невозможного. Сам того не ведая, я открывал для себя силу нашего будущего романа... остановившееся время, неощутимое, неудержимое, ускользающее. Но вот она поднялась. Сказала, что завтра ей рано вставать. Завтра ей снова работать на Сингха. Она любит, конечно, этого старого лиса, но должна выспаться, потому что он ужасен! Я тоже встал. Сердце опять дало сбой. Я боялся ее потерять. Бормотал что-то невнятное, пока она надевала куртку.

— Простите, не поняла?

— Ябоваспотрять.

— Что вы говорите?

— Говорю, что боюсь вас потерять.


Она улыбнулась. Ничего не сказала. Улыбалась, покачиваясь с пятки на носок, держась за воротник куртки. Я поцеловал ее. Губы ее не разомкнулись. Я поцеловал ее улыбку. Она покачала головой и легонько меня оттолкнула.

Я едва не упал.


*

— И все?

— Да.

— Не хотите рассказывать, что было дальше? Детям до шестнадцати смотреть не разрешается?

— Вовсе нет! Конечно, нет, милая моя... Она ушла, а я снова сел. Провел остаток ночи в мечтах, положил на колено ее записку и разглаживал ее. Ничего скабрезного, как видишь...

— Разве что ваше колено?

— Какая же ты дурочка.

Я захихикала.

— Но зачем она тогда пришла в бар?

— Именно этот вопрос я задавал себе той ночью, и на следующее утро, и день спустя, и много-много дней подряд до следующей встречи...

— А когда вы снова увиделись?

— Через два месяца. Она неожиданно появилась августовским вечером у меня на работе. Я никого не ждал. Вернулся чуть раньше из отпуска, чтобы спокойно поработать. Но дверь открылась, и на пороге стояла она. Зашла случайно. Наудачу. Возвращалась из Нормандии, ждала звонка подруги, открыла телефонный справочник и... вот.

Она принесла мне ручку, которую я оставил на другом конце земного шара. Забыла вернуть мне в баре, но на сей раз сразу начала шарить в сумке.

Она не изменилась. Знаешь, я ее не идеализировал.

— Не хотите же вы сказать, что... только за тем и пришли? Чтобы отдать мне ручку? — спросил я.

— Именно за этим. Ручка ведь замечательная. Я подумала, что вы ею дорожите.

Она протянула ее мне с улыбкой на губах. Это была шариковая ручка *Bic*. Красная.

Я не знал, что делать. Я... Она обняла меня, она поймала меня врасплох. Мир принадлежал мне.

Мы гуляли по Парижу, взявшись за руки. От Трокадеро до острова Сите, вдоль Сены. Это был великолепный вечер. Жаркий. Мягкий свет заливал улицы. Солнце никак не решалось закатиться за горизонт. Мы напоминали двух туристов — беззаботных, восхищенных, куртки накинуты на плечи, пальцы переплетены. Я изображал гида. Я не ходил так по Парижу уже много лет. И снова открывал для себя мой город. Мы поужинали на площади Дофин и провели несколько следующих дней в ее гостиничном номере. Помню первый вечер. Соленый вкус ее кожи. Она, наверное, искупалась прямо перед отъездом. Я встал ночью, потому что хотел пить. Я... Это было чудесно.

Чудесно и совершенно фальшиво. Все было подделкой. Жизнь не была жизнью. Париж не был Парижем. На дворе стоял август. Я не был туристом. Не был холостяком. Я лгал. Лгал себе. Себе, ей, моей семье. Она что-то чувствовала, и в тот момент, когда наступило похмелье и телефонные звонки и я совсем заврался, она уехала.

В аэропорту она сказала:

«Я попытаюсь жить без вас. Надеюсь, у меня получится...»


Мне не хватило смелости поцеловать ее.


Вечером я отправился ужинать в бар. Я страдал. Страдал так, словно мне чего-то не хватало, как будто мне ампутировали руку или ногу. Невероятное ощущение. Я не понимал, что со мной происходит. Помню, что нарисовал на бумажной скатерти два силуэта. Левый изображал ее анфас, правый — со спины. Я пытался припомнить точное количество и расположение ее родинок, и официант, подойдя принять заказ, спросил, не иглоукалыватель ли я. Я не понимал, что именно со мной случилось, но чувствовал, что это очень серьезно! Несколько дней я был самим собой. Я был просто я. С ней я сам себе казался хорошим человеком... Вот так, просто и ясно. Я и не знал, что могу быть хорошим человеком.

Я любил эту женщину. Любил Матильду. Любил звук ее голоса, ее острый ум, ее смех, ее взгляд на мир, ее фатализм, свойственный людям, которые много путешествуют по свету. Любил ее смех, любознательность, скромность, ее позвоночник, полноватые бедра, молчаливость, нежность и... все остальное. Все... Все. Я молился, чтобы она не смогла больше жить без меня. Я не думал о последствиях. Я только что открыл для себя, что жить гораздо веселее, если ты счастлив. Мне понадобилось сорок два года, чтобы сделать это открытие, и я пребывал в таком восхищении, что запрещал себе портить удовольствие, заглядывая в будущее. Я был похож на волхва, увидевшего чудо в яслях...

Он снова налил нам выпить.


— С этого момента я стал *трудоголиком* — *workholic*, как говорят американцы. Почти все время проводил на работе. Приходил раньше всех, а уходил последним. Работал по субботам, а по воскресеньям, дома, места себе не находил. Хватался за все что попало. Я таки урвал тот тайваньский контракт и получил большую свободу маневра. Пользовался этим, предлагая все новые и новые проекты. Более или менее приемлемые. И всему этому, всем этим бессмысленным часам, дням было единственное объяснение: я надеялся, что она позвонит.

Где-то на этой планете находилась женщина — может, в двух шагах, а может, в десяти тысячах километров, и единственное, что имело значение, — чтобы она могла мне позвонить.

Я верил. Я был полон сил. Думаю, я был счастлив в то время, потому что знал: пусть мы не вместе, она существует. Само по себе это было чудом.

Она дала о себе знать за несколько дней до Рождества. Собиралась приехать в Париж и спрашивала, сможем ли мы пообедать вместе на следующей неделе. Мы назначили встречу в том же маленьком винном баре, только вот лето уже прошло, и когда она захотела взять меня за руку, я поспешно ее отдернул. «Вас что, здесь знают?» — спросила она, морща носик.

Я оскорбил ее. И чувствовал себя несчастным. Я протянул ей руку, но она не сделала ответного движения. Время шло, а мы все еще были не вместе. Тем же вечером мы встретились в той же гостинице, только в другом номере, и я смог наконец прикоснуться к ее волосам и ожил.

Я... Я любил заниматься с ней любовью.


Назавтра мы встретились там же и на следующий день тоже... Был канун Рождества, близилось расставание, я хотел спросить ее о планах, но не смел. Страх был сильнее меня. От него так сводило живот, что я даже улыбнуться ей не мог.

Она сидела на кровати. Я прижался к ней, положив голову ей на колени.

— Что с нами будет? — спросила она.

Я промолчал.

— Знаете, когда вы ушли вчера посреди ночи, оставив меня одну в этой комнате, я сказала себе, что такого больше не будет. Никогда, слышите? Никогда... Я оделась и вышла. Я не знала, куда пойти. Я не хочу снова пережить такое, не хочу лежать в постели и смотреть, как вы одеваетесь и уходите. Это слишком жестоко.

Она с трудом выговаривала слова.

— Я поклялась, что больше ни один мужчина не заставит меня страдать. Я этого не заслуживаю, понимаете? Не заслуживаю. Потому-то и спрашиваю: что с нами будет?

Я молчал.

— Молчите? Так я и думала. Да и что, собственно, вы можете мне сказать? Что вы можете сделать? У вас жена и дети. А я, кто я такая? Я почти ничего не значу в вашей жизни. Живу так далеко... Так далеко и так странно... Ничего не умею делать, как другие люди. У меня нет ни дома, ни мебели, ни кошки, ни поваренной книги, ни планов. Я считала себя умнее всех, думала, что понимаю жизнь лучше остальных, радовалась, что не попалась в ловушку. А потом появились вы, и вот я совершенно запуталась.

Мне теперь хочется остановиться на бегу, потому что жизнь с вами прекрасна. Я говорила, что попробую жить без вас... Я пробую, пробую, но у меня не слишком получается, я все время думаю о вас. И вот я спрашиваю — наверное, в последний раз, — как вы намерены поступить со мной?

— Буду любить вас.

— А еще?

— Обещаю, что никогда больше не оставлю вас одну в гостиничном номере. Клянусь.

Я уткнулся лицом ей в колени. Она потянула меня за волосы, заставила поднять голову.

— И это все?

— Я люблю вас. Я счастлив только рядом с вами. Люблю только вас. Я... Я... Доверьтесь мне...

Она отпустила мою голову, и разговор на этом закончился. Я нежно овладел ею, но она осталась безучастной — просто не сопротивлялась. В этом была вся разница.


— И что было потом?

— Потом мы впервые расстались... Я говорю «впервые», потому что мы столько раз расставались... А потом я ей позвонил... Умолял ее... Придумал повод для поездки в Китай. Увидел наконец, как она живет, познакомился с ее квартирной хозяйкой...

Неделю я жил в ее квартире и, когда она уходила на работу, изображал сантехника, электрика, маляра. Любезничал с мадемуазель Ли, которая проводила дни, напевая и лаская своих птичек в клетках. Матильда показала мне гавань и сводила в гости к старой англичанке, полагавшей, будто я — лорд Маунтбэттен! И я «соответствовал», уж ты мне поверь!..

— Ты понимаешь, что все это значило для меня? Для маленького мальчика, которому не хватало духу подняться на седьмой этаж?

Вся моя жизнь была заключена в пространстве между двумя округами Парижа и маленьким загородным домиком. Я никогда не видел родителей счастливыми, мой единственный брат умер, задохнувшись, я женился на первой же своей девушке — сестре одного из приятелей, — потому что не сумел вовремя «смыться»...

Вот такой была моя жизнь. Такой...

Понимаешь, о чем я? Мне казалось, что я заново родился. У меня было чувство, что все начинается сегодня, в ее объятиях, у темной воды, плещущейся рядом с домом, в сырой каморке мадемуазель Ли...

Он замолчал.

— Вы поженились из-за Кристин?

— Нет, это было до нее... А тогда случился выкидыш.

— Я не знала.

— Никто не знал. Да и зачем было кому-то сообщать? Я женился на девушке, которую любил, — как любят юных девушек. Романтическая и чистая любовь. Первые волнения и тревоги... Свадьба вышла грустная. Мне все казалось, что я снова прохожу первое причастие.

Сюзанна тоже вряд ли предполагала, что все пройдет по, так сказать, укороченному сценарию... Она разом утратила и молодость, и иллюзии. Мы все это потеряли, а мой тесть приобрел идеального зятя. Я закончил Высшее горное училище — он и мечтать не мог о лучшей партии для дочери, сыновья-то его были... *гуманитариями*. Он всегда произносил это слово сквозь зубы.

Мы с Сюзанной не испытывали безумной любви, но покорились судьбе. В те времена одно вполне замещало другое.

Вот я рассказываю тебе все это, хотя не уверен, что ты способна понять... Жизнь так изменилась.... Кажется, будто миновали два столетия, а не сорок лет. В те годы девушки выходили замуж, если у них случалась задержка. Для вас это доисторические времена.

Он потер лицо руками.

— Так на чем я остановился? Ах да...

Я говорил, что оказался на другом конце Земли с женщиной, которая зарабатывала на жизнь, порхая с континента на континент, и, кажется, любила меня таким, каким я в действительности был, любила за то, что было у меня внутри. Эта женщина любила меня, не побоюсь этого слова... да — нежно. Все это было так ново. Экзотично. Великолепная женщина, которая затаив дыхание смотрела, как я ем суп из кобры с хризантемами.

— Вкусный был суп?

– По мне, так чуточку слишком «слизистый»...

Он улыбался.

– И когда я снова сел в самолет, впервые в жизни я не боялся. Я говорил себе: пусть хоть взорвется, хоть рухнет на землю и разобьется – плевать!

– Почему?

– Почему?

– Ну да, непонятно... Я бы чувствовала прямо противоположное... Твердила бы про себя: «Теперь я знаю, почему испытываю страх, и этот чертов самолет просто не имеет права упасть!»

– Ты права. Так было бы правильнее... Тут-то собака и зарыта – я этих слов не произносил. Может, я даже почти надеялся, что он рухнет... Всё так упростилось бы...

– Вы встретили женщину своей жизни и думали о смерти?

– Я не говорил тебе, что хотел умереть!

– Конечно, конечно. Я тоже этого не говорила. Вы просто рассматривали такую возможность...

– Я рассматриваю такую возможность каждый день. Ты нет?

– Нет.

– Полагаешь, твоя жизнь чего-нибудь стоит?

– Ну... Да... Чего-то стоит... И потом, у меня есть девочки...

— Да это веская причина.

Он поглубже устроился в кресле, и я больше не видела его лицо.

— Да. Согласен — это выглядело абсурдно. Но я только что был так счастлив ... Бесконечно счастлив... Я был озадачен и слегка напуган. Неужели это нормально — быть таким счастливым? Это справедливо? Какую цену я должен буду за это заплатить?

Потому что... Не знаю, в чем тут дело — в моем воспитании или в том, что внушали мне святые отцы. А может, все дело в моем характере? Вряд ли я сумею все это объяснить, но одно не подлежит сомнению: я всегда сравнивал себя с рабочей лошадкой. Мундштук, повод, шоры, оглобли, лемех, ярмо, тележка, борозда... И так далее, и тому подобное... С детских лет я хожу по улицам, уставясь носом в землю, как будто это сухая корка, которую необходимо пробить.

Женитьба, семья, работа, отношения с людьми... Через все это я продирался, не поднимая глаз и сжав зубы. С опаской, с недоверием. Кстати, я хорошо играл в сквош — и не случайно: мне нравилось ощущение тесного замкнутого пространства, я любил лупить изо всех сил по мячу, чтобы он летел назад со скоростью пушечного ядра. Я это просто обожал.

— Ты любишь сквош, я — йокари, этим все сказано... — подвела как-то вечером итог Матильда, массируя мое разболевшееся плечо. Помолчав минуту, она добавила: — Подумай над моими словами, в этом что-то есть. Люди суровые в душе, жесткие, непримиримые кидаются на эту жизнь и все время причиняют себе боль, тот же, кто мягок... нет, не то слово... кто гибок, податлив, меньше страдает от ударов судьбы... Думаю, тебе стоит переключиться на йокари, эта игра гораздо забавней. Ударяешь по мячику, который держишь на веревочке, и не знаешь, куда именно он вернется, но точно знаешь, что вернется, обязательно — в этом-то весь кайф. Мне иногда кажется, что я... Что я — твой шарик-йокари...

Я не ответил, и она продолжила молча массировать мне плечо.

— Вы никогда не думали начать все сначала — с ней?

— Да конечно думал. Тысячи раз. Тысячу раз хотел, и тысячу раз отступал... Подходил к краю пропасти, наклонялся и в ужасе отбегал. Я чувствовал ответственность за Сюзанну, за детей.

Ответственность за что? Еще один тяжелый вопрос... Я взял на себя обязательства. Подписался, наобещал и должен выполнять. Адриану было шестнадцать, и ничего с ним не ладилось. Он переходил из одного лицея в другой, писал на стенках лифта *No future*[1] и мечтал об одном: отправиться в Лондон и вернуться оттуда с ручной крысой на плече. Сюзанна была в отчаянии. Она не могла овладеть ситуацией. Кто подменил ее маленького мальчика? Впервые в жизни у нее из-под ног уходила почва, она сидела вечера напролет, не произнося ни слова. Я был не в состоянии окончательно ее добить. И потом, я говорил себе... Говорил, что...

---

[1] Будущего нет (*англ.*).

— Что вы себе говорили?

— Не торопи меня, все это так нелепо... Дай вспомнить, что именно я говорил себе тогда. Что-то в этом роде: «Я — пример для своих детей. Их жизнь только начинается, они в том возрасте, когда им скоро придется брать на себя обязательства, какой жалкий пример я им подам, если сейчас брошу их мать...» Ты представляешь, какой бы скандал разразился? Как бы я перевернул всю их жизнь? Смогли бы они потом оправиться? Это было бы смертельным оскорблением. Я не был идеальным отцом, совсем нет, но я для них — пример для подражания, наглядный, самый очевидный, значит... гм-гм... нужно держаться.

Он скрежетал зубами.

— Красиво у меня получилось, не так ли? И благородно, согласись?

Я молчала.

— Больше всего я думал об Адриане... О том, что должен продемонстрировать моему сыну Адриану, что такое долг. Ты можешь теперь посмеяться вместе со мной, не стесняйся. Не так часто приходится слышать по-настоящему смешную историю.

Я качала головой.

— И все же... Да нет, черт... к чему это все теперь? Все это так далеко... Так далеко...

— Что — и все же?

— Ну... в какой-то момент я все-таки приблизился к пропасти вплотную... Был на грани... Начал подыскивать квартиру, думал уехать на выходные с Матильдой, подбирал слова, репетировал, представлял себе, как все будет. Даже назначил встречу с нотариусом, а потом однажды утром — жизнь все-таки коварная штука! — ко мне в кабинет явилась заплаканная Франсуаза...

— Франсуаза? Ваша секретарша?

— Да.

— Ее бросил муж... Я ее просто не узнавал. Эта властная, бойкая, уверенная в себе женщина, всегда правившая бал, начала чахнуть прямо на глазах. Она плакала, худела, еле держалась на ногах и страдала. Так страдала. Глотала таблетки, еще больше худела и впервые в жизни взяла больничный. Она плакала. Плакала даже в моем присутствии. И тут я проявил себя как настоящий мужчина — собрал все свое мужество и возопил изо всех сил: «Какой негодяй, ну какой негодяй! Как можно поступать так с женой? Как можно быть таким эгоистом? Захлопнуть за собой дверь, потирая руки? Уйти так, как будто отправляешься на прогулку. Как же для него все просто! Слишком просто!»

Нет, на самом деле, каков мерзавец! Каков мерзавец! Я не похож на вас, мсье! Я, я не бросаю жену, я не бросаю жену и потому презираю вас... Да, презираю всей душой, дорогой мсье!

Вот что я думал и был совершенно счастлив, что так легко отделался. Счастлив, что вовремя опомнился и остался чистеньким. О да, я ее поддержал, мою Франсуазу, еще как поддержал! Я только и делал, что поддерживал ее и то и дело повторял: «Ах как вам не повезло. Не повезло...»

На самом деле я должен был про себя благословлять его, этого господина Жарме, которого я вообще не знал. Я должен был благословлять его. Он поднес мне решение проблемы на блюдечке с голубой каемочкой. Благодаря этому человеку, благодаря его подлости, я мог вернуться в свое уютное существование с гордо поднятой головой. Работа, Семья, Родина — я был снова с вами. Во весь рост и с гордо поднятой головой! Я, конечно, был собой доволен, ты меня знаешь. Я пришел к приятному для себя выводу, что... я — не как все. Я одержал над другими победу. Маленькую — но победу. Ведь я не бросал свою жену...

— И тогда вы порвали с Матильдой?

— Это еще почему? Вовсе нет. Мы продолжали видеться, но я похоронил планы бегства и перестал тратить время на осмотр жалких наемных квартир. Потому что, понимаешь, как я тебе только что блестяще доказал, я был человеком другой закалки и не собирался разорять родовое гнездо! Это удел безответственных мужей. Мужей секретарш.

Тон его был саркастичен, голос дрожал от ярости.

— Нет, я не порвал, я продолжал нежно заниматься с ней любовью и морочить ей голову.

— Неужели правда?

— Да.

— Вы так гнусно себя вели?

— Да.

— Просили ее потерпеть, обещали все на свете?

— Да.

— И как же она все это выносила?

— Не знаю. Правда не знаю...

— Может, она вас любила?

— Может быть.

Он залпом допил вино.

— Может быть и так... Очень может быть...


— Вы не ушли из-за Франсуазы?

— Совершенно верно. А точнее — из-за Жана-Поля Жарме. Впрочем, не будь его, я наверняка нашел бы другой предлог, не сомневайся. Люди с нечистой совестью очень сильны по части поиска предлогов. Очень сильны.

— Невероятно...

— Что именно?

— Эта история... Ее подоплека... Просто невозможно поверить...

— Вовсе нет, милая моя Хлоя... В моей истории нет ровным счетом ничего невероятного. Это жизнь. Так живут почти все. Хитрят, изворачиваются, трусость — она как маленькая домашняя собачонка, которая вертится под ногами. Ее ласкают, дрессируют, к ней привязываются. Такова жизнь. Люди в ней делятся на храбрецов и тех, кто приспосабливается. Насколько проще жить, приспосабливаясь... Передай-ка мне бутылку.

— Решили напиться?

— Нет. Я не напиваюсь. Мне никогда это не удавалось. Чем больше пью, тем яснее голова...

— Вот ведь ужас!

— Ужас, ужас, согласен... Тебе налить?

— Спасибо, нет.

— Хочешь, заварю тебе ромашку?

— Да нет же. Я... Даже не знаю, что я... Потрясена, наверное...

— Чем ты потрясена?

— Да вами, конечно! Вы никогда не произносили больше двух фраз подряд в моем присутствии, никогда не повышали голос, не выходили из себя. Никогда — со дня нашего знакомства, когда я впервые увидела вас в одеянии Великого Инквизитора... Вы ни разу не дали при мне слабину, ни разу не дрогнули, и вдруг, нате вам, откуда ни возьмись — такая история...

— Я тебя шокировал?

— Да нет, конечно же нет! Вовсе нет! Наоборот! Напротив... Но... Но как вам удавалось так долго притворяться?

— Что ты имеешь в виду?

— Притворяться... старым дураком.

— Так я ведь и есть старый дурак, Хлоя! Именно это я и пытаюсь тебе объяснить!

— Да нет же! Раз вы это понимаете, значит, уже не дурак. Настоящие дураки таковыми себя не считают.

— Цццц, не заблуждайся! Это всего лишь одна из моих уверток, чтобы выйти из дела с честью. Я в этом специалист...

Он улыбался мне.

— Невероятно... Невероятно...

— Что?

— Да все это... Все, что вы мне рассказали...

— Да нет, дорогая, в действительности все очень банально. Очень, очень банально... Я разговорился сегодня, потому что это ты, потому что мы здесь — в этой комнате, в этом доме, — потому что сейчас ночь и потому что ты страдаешь из-за Адриана. А еще потому, что его выбор приводит меня в отчаяние и одновременно вселяет надежду.

Потому что мне не нравится видеть тебя несчастной, я сам причинил слишком много горя... И потому что я предпочитаю, чтобы ты настрадалась сегодня, нежели потом потихоньку всю свою жизнь.

Я вижу, как люди страдают — понемножку, самую малость, совсем чуть-чуть, но этого хватает, чтобы все испортить... Да в моем возрасте мне виднее... Люди живут вместе, потому что цепляются за эту свою никчемную, неблагодарную жизнь. Компромиссы, противоречия... И ничего другого...

Браво, браво, браво! Мы всё похоронили: друзей, мечты и любовь, — а теперь похороним и себя. Браво, друзья!

Он хлопал в ладоши.

— Пенсионеры... Свободные от всего. Я их ненавижу. Ненавижу, слышишь? Ненавижу, потому что вижу в них себя. До чего же они самодовольны. Корабль не пошел ко дну! Не потонул! — как будто говорят они нам, каждый в отдельности. Но какой ценой, черт побери?! Какой ценой? Тут было все: и сожаления, и угрызения совести, и компромиссы, и раны, которые не заживают и не заживут никогда. Никогда, слышишь! Даже в саду Гесперид. Даже на фамильных фотографиях с правнуками. Даже если вы вместе правильно ответите на вопрос Жюльена Леперса.

Вроде он говорил, что не пьянеет, однако...


Он перестал говорить и жестикулировать, и мы довольно долго сидели вот так. Молча. Глядя на горящие поленья в камине.

— Я не дорассказал тебе историю с Франсуазой...

Он успокоился, и теперь мне приходилось напрягать слух, чтобы расслышать, что он говорит.

— Несколько лет назад, кажется в 94-м, она тяжело заболела... Тяжело... Сволочная раковая опухоль разъедала ее внутренности. Сначала ей удалили один яичник, потом другой, потом матку... и много чего еще, точно не знаю, она со мной не откровенничала, но все оказалось хуже, чем предполагали врачи. Франсуазе оставалось жить считанные недели. Дожить бы до Рождества. До Пасхи вряд ли удастся дотянуть.

Как-то я позвонил ей прямо в палату и предложил уволиться с королевским выходным пособием — чтобы, выйдя из больницы, она могла отправиться в круиз. Пусть сходит в самые дорогие бутики и выберет себе самые красивые платья, в которых будет прогуливаться по палубе, потягивая коктейли. Франсуаза обожала *Pimm's*...

«Приберегите ваши денежки, я еще выпью с остальными, когда мы будем провожать вас на пенсию!» — вот что она мне ответила.

Мы весело шутили — мы были хорошими актерами, умели делать хорошую мину при плохой игре... Последние прогнозы врачей были просто катастрофическими. Я узнал от дочери Франсуазы, что она вряд ли дотянет до Рождества.

«Не верьте всему, что вам говорят, вы, конечно, променяете меня на молоденькую, но на сей раз...» — прошелестела она на прощанье. Я что-то буркнул, повесил трубку и расплакался. Я вдруг понял, как сильно я ее люблю. Как нуждаюсь в ней. Мы семнадцать лет проработали вместе. Не расставались ни на один день. Семнадцать лет она меня терпела и помогала мне... Она знала о Матильде и не сказала ни единого слова. Она улыбалась мне, когда я был несчастен, и пожимала плечами, когда я был в плохом настроении. Ей было двадцать, когда она пришла ко мне работать. Она ничего не умела. Только что закончила школу гостиничного хозяйства, но все бросила, потому что какой-то повар ущипнул ее за попку. Она не хочет, чтобы ее щипали за попку — об этом она заявила при первом же разговоре. Но ей не хочется возвращаться к родителям в Крёз. Она туда поедет, когда купит собственную машину — чтобы вернуться, когда сама того захочет! Я взял ее на работу за эту последнюю фразу.

Франсуаза тоже была моей принцессой...


Время от времени я звонил в больницу и говорил гадости о заменявшей ее девушке.


Много позже, когда она наконец разрешила, я отправился навестить ее. Была весна. Ее перевели в другую больницу. Лечение было не таким мучительным, ей стало лучше, врачи воспряли, заходили к ней в палату похвалить за мужество и хороший настрой. Она сказала мне по телефону, что снова сует свой нос куда ни попадя, высказывается обо всем и обо всех. У нее появились дизайнерские идеи. Она критиковала неслаженную работу персонала, плохую организацию. Она попросила о встрече с начальником отдела кадров, чтобы указать на некоторые очевидные недостатки. Я подшучивал над ней. Она оправдывалась: «Но я же говорю о здравом смысле! Ни о чем больше, вы же знаете!» Франсуаза явно стала прежней, и я ехал в клинику с легким сердцем.

И все же, увидев ее, я испытал шок. Франсуаза больше не была *моей прекрасной леди* – она превратилась в маленького желтого цыпленка. Шея, щеки, руки – все исчезло, растаяло. Кожа была желтоватой и уплотненной, глаза стали вдвое больше, но больше всего меня поразил парик. Она, должно быть, торопилась, надевая его, и пробор оказался не на месте. Я пытался рассказывать ей о работе, о малыше Каролины, о новых контрактах, но все время думал о парике, боялся, что он сползет с головы.

В этот момент в дверь постучали, и вошел мужчина. «Ой!» – воскликнул он, увидев меня, и тут же собрался выйти. Франсуаза окликнула его. «Пьер, познакомьтесь с моим другом Симоном, – сказала она. – По-моему, вы никогда раньше не встречались...» Я встал. Нет, никогда. Я даже не подозревал о его существовании. Мы с Франсуазой были так стыдливы... Он очень крепко пожал мне руку, глаза его были сама доброта. Два маленьких серых умных глаза, живых и нежных. Пока я снова усаживался, он подошел к Франсуазе, чтобы поцеловать ее, и... Знаешь, что он сделал?

– Нет.

– Взял в руки ее маленькое личико, личико сломанной куколки, словно хотел страстно поцеловать его, и воспользовался этим, чтобы поправить ей парик. Она чертыхнулась, сказала, что он мог бы вести себя поделикатнее перед ее патроном, а он засмеялся в ответ и ушел, сказав, что хочет купить газету.

Когда он закрыл дверь, Франсуаза медленно повернулась ко мне. Глаза ее были полны слез. Она прошептала: «Знаете, Пьер, без него я бы давно умерла... Я сражаюсь, потому что у нас с ним еще очень много дел. Очень много...»

Улыбка у нее была устрашающая. Рот казался до неприличия огромным. Мне все время казалось, что ее зубы обнажаются до самых корней. Что кожа на щеках вот-вот треснет. Меня подташнивало. И еще этот запах... Запах лекарств, смерти и духов «Герлен». Я еле терпел, и с трудом сдерживался, чтобы не зажать нос. Я чувствовал, что вот-вот сорвусь. В глазах все плыло. Я как бы невзначай, словно туда попала соринка, потер глаза и ущипнул себя за нос, но когда я снова взглянул на Франсуазу, через силу улыбаясь ей в ответ, она спросила: «Что-то не так?» «Нет-нет, все в порядке, — ответил я, чувствуя, что уголки губ опускаются вниз, как у обиженного ребенка. — Все хорошо, Франсуаза... Просто... Мне кажется, вы не слишком хорошо выглядите сегодня...» Она закрыла глаза и положила голову на подушку. «Не беспокойтесь. Я выкарабкаюсь... Он слишком во мне нуждается».

*

Я ушел совершенно раздавленный. Держался за стены. Уйму времени вспоминал, где поставил машину, потерялся на проклятой стоянке. Да что со мной такое? Что со мной такое, черт побери? Все дело в том, что она так ужасно выглядит? Или это трупно-жавелевый запах так на меня подействовал? Или просто само это место? Атмосфера беды? Страдания? И моя маленькая Франсуаза с ручками-спичками, мой ангел, потерявшийся среди всех этих зомби. На узкой больничной койке. Что они сделали с моей принцессой? Почему так плохо с ней обращались?

Да, так вот, я потратил уйму времени, чтобы найти свою машину, еще столько же, чтобы ее завести, потом долго не мог тронуться с места. Знаешь, почему? Что меня так подкосило? Не Франсуаза, нет, не ее катетеры и не ее боль, конечно, нет. Это было...

Он поднял голову.

— Отчаяние. Оно, как бумеранг, ударило меня прямо в лицо...


Молчание.

*


— Пьер... — сказала я в конце концов.

— Да?

— Вы, конечно, решите, что я совсем обнаглела, но я бы все-таки выпила ромашки...

Он встал, пряча благодарность за недовольным бурчанием.

— Ну вот, так всегда: никогда-то вы не знаете, чего сами хотите, все капризничаете...

Я поплелась за ним на кухню и села по другую сторону стола, глядя, как он ставит кастрюльку с водой на огонь. Свет раздражал мне глаза. Я потянула лампу вниз. Он шарил по шкафчикам.

— Могу я задать вам вопрос?

— Если скажешь, где найти то, что я ищу.

— Там, прямо перед вами, в красной коробке.

— Здесь? Раньше мы это сюда не клали, мне кажется, что... прости, я слушаю.

— Сколько все это продолжалось?

— С Матильдой?

— Да.

— Считая от Гонконга и до нашей последней размолвки — пять лет и семь месяцев.

— Вы проводили вместе много времени?

— Нет, я ведь уже говорил. Несколько часов, несколько дней...

— И вам этого хватало?

— ...

— Хватало?

— Нет, конечно. А может, да — я ведь ничего не сделал, чтобы что-то изменить. Я уже потом об этом подумал. Возможно, меня это устраивало. «Устраивало»... До чего же уродливое слово. Возможно, так мне было удобно — иметь и надежный тыл, и африканскую страсть. Домашний ужин по вечерам и острые ощущения время от времени... Как хорошо — и сыт, и в форме себя держишь. Практично, удобно...

— Вы звонили, когда она была вам нужна?

— Ну да, примерно так...

Он поставил передо мной чашку.


— Вообще-то нет... Все происходило не так... Однажды, еще в самом начале, она написала мне письмо. Единственное в нашей жизни. Она писала:

*Я все обдумала, я не питаю иллюзий — я люблю тебя, но не доверяю. Раз то, что мы переживаем, нереально, значит, это игра. А раз это игра, необходимы правила. Я больше не хочу встречаться с тобой в Париже. Ни в Париже, ни в каком другом месте, где ты будешь бояться. Когда мы вместе, я хочу брать тебя за руку на улице и целовать тебя в ресторанах — иначе вообще ничего не нужно. Я не в том возрасте, чтобы играть в кошки-мышки. Итак, мы будем видеться в других странах, как можно дальше отсюда. Узнав, куда ты поедешь в следующий раз, пиши мне в Лондон, на адрес моей сестры, она будет пересылать почту мне. Не надо нежных слов, не трудись, просто предупреждай. Какая гостиница, где, когда. Смогу — приеду, нет — что поделаешь... Не надо мне звонить, не пытайся узнать ни где я, ни как живу, полагаю, это уже не имеет значения. Я все обдумала и поняла, что это лучший выход из положения — я буду делать как ты, жить своей жизнью и любить тебя — но издалека. Я не хочу ждать твоих звонков, не хочу запрещать себе влюбляться, а хочу спать с кем захочу и когда захочу, без угрызений совести. Я признаю твою правоту: жизнь без угрызений совести — это... it's convenient[1]. Я смотрела на жизнь иначе, но почему бы и нет? Хочу попробовать. В конце концов, что я теряю? Трусливого мужчину? А что выигрываю? Удовольствие засыпать иногда в твоих объятиях... Я все обдумала — и хочу попробовать. Решай.*

— Ты что, Хлоя?

— Ничего. Забавно, что вы нашли достойного противника.

— К несчастью, нет. Она выработала тактику, строила из себя роковую женщину, а была нежнейшим существом. Я этого не знал, принимая ее условия, понял много позже... Через пять лет и семь месяцев...

Да нет, вру. Я догадывался, читал между строчками, чего ей стоило написать мне такие слова, но не собирался придавать этому значение, меня ведь эти правила вполне устраивали. Более чем устраивали. Всего и делов-то — усилить импортно-экспортное направление и привыкнуть к бесконечным перелетам. Подобное письмо — воистину нечаянная радость для мужчины, который хочет без помех обманывать жену. Конечно же, то, что она собиралась влюбляться и спать с кем попало, не

---

[1] Это удобно (*англ.*).

135

очень мне понравилось, но ведь пока это были только слова.

Он сел на привычное место у края стола.

— Ну и хитер я был тогда. Что и говорить, хитер. Главное — я еще и здорово заработал благодаря этой истории... Укрепил международное направление и обогатился...

— Откуда такой цинизм?

— А ты еще не поняла, что я законченный циник?

Я потянулась, чтобы достать ситечко.

— Кроме того, это было очень романтично... Я с бьющимся сердцем спускался по трапу самолета и ехал в гостиницу, надеясь, что моего ключа на месте не окажется, ставил сумки в незнакомых номерах и обыскивал их, пытаясь обнаружить следы ее присутствия, отправлялся работать и возвращался вечером, молясь, чтобы она оказалась в постели. Иногда так и происходило, иногда — нет. Она могла, например, приехать среди ночи, и тогда мы без единого слова растворялись друг в друге. Смеялись, укрывшись с головой, радуясь новой встрече. Наконец-то. Так далеко ото всех. Так близко друг к другу. Иногда она приезжала только на следующий день, и тогда я всю ночь сидел в баре, прислушиваясь к тому, что происходит в холле. Иногда она брала отдельный номер и просила меня прийти к ней рано утром. Иногда она не приезжала вообще, и я ее ненавидел. Возвращался в Париж мрачнее тучи. Вначале у меня действительно было много работы, но потом все меньше и меньше... Чего только я не изобретал, чтобы уехать! Иногда я успевал осмотреть местные достопримечательности, а иногда не видел ничего, кроме своего номера в гостинице. Однажды нам вообще не удалось выбраться за пределы аэропорта... Это выглядело нелепо. Было лишено всякого смысла. Иногда мы никак не могли наговориться, а в другой раз и сказать-то было нечего. Верная своему обещанию, Матильда почти никогда не говорила со мной о своей интимной жизни, разве что в постели. Лежа рядом со мной, она вдруг вспоминала каких-то мужчин или ситуации, отчего я начинал сходить с ума... Я был в полной власти этой женщины-плутовки, и когда она вдруг среди ночи якобы случайно называла меня другим именем, я делал вид, что обижен, но на самом деле просто умирал. Тогда я грубо овладевал ею, мечтая нежно ее обнять.

Когда один из нас играл, другой страдал. Это был полный абсурд. Мне хотелось схватить ее за плечи и трясти до тех пор, пока она не выплюнет из себя весь свой яд. Пока не скажет, что любит меня. Пока мне этого не скажет, черт побери. Но я не мог — ведь это я был мерзавцем. Во всем этом был виноват только я...

Он встал, чтобы взять стакан.

— На что я надеялся? Что все так и будет продолжаться долгие годы? Нет, в это я не верил. Мы расставались молча, не глядя друг на друга, грустные и потерянные, и никогда не говорили о следующей встрече. Нет, это было невыносимо... И чем больше я мучился, тем сильнее любил ее, и чем сильнее любил, тем меньше верил в возможность благополучного исхода. Я чувствовал, что все это выше моих сил, что я запутался в мною же сплетенной паутине, что мне не сдвинуться с места и придется смириться.

— Смириться с чем?

— С тем, что однажды потеряю ее...

— Не понимаю.

— Понимаешь. Конечно понимаешь... А что я мог, по-твоему, сделать? Не знаешь?

— Нет.

— Нет, конечно, у тебя нет ответа. Тебе труднее, чем кому бы то ни было найти ответ на этот вопрос...

— Так что же вы ей все-таки наобещали?

— Уже не помню... думаю, ничего особенного, а может, что-то несусветное. Да нет, и правда ничего особенного... Я честно закрывал глаза, когда она задавала вопросы, и целовал ее, когда она ждала ответов. Мне было почти пятьдесят, и я чувствовал себя стариком. Я думал, что приближаюсь к финишу. Освещенный солнцем закат... Я говорил себе: «Не будем делать резких движений, она так молода, она бросит меня первой», и при каждой новой встрече испытывал не только восторг, но и удивление. Как? Она все еще здесь? Но почему? Я не понимал, что такого она во мне находит, и говорил себе: «Чего мне дергаться, ведь она бросит меня первой». Это было ясно, как божий день, это было неизбежно. Не было никаких причин надеяться на новую встречу, никаких... В самом конце я даже стал надеяться, что она не приедет. До сих пор Жизнь так замечательно все решала за меня, значит, так будет и в этот раз. Я ведь знал, что не способен сам распорядиться своей судьбой... В профессиональном плане все по-другому, работа — это игра, и тут я всегда был на высоте, но в личной жизни... Я предпочитал терпеть и утешаться мыслью, что я — «тот, кто терпит». Предпочитал мечтать или предаваться сожалениям. Это было настолько проще...

Моя двоюродная бабушка по отцу — она была русской — часто повторяла:

— Ты — как мой отец, все ностальгируешь по горам.

— По каким горам, Мушка? — удивлялся я.

— По тем, которых никогда не видел, конечно!


— Она так говорила?

— Ну да. Всякий раз, когда я засматривался в окно...

— А что вы там выглядывали?

— Автобусы.

Он засмеялся.

— Она бы тебе понравилась... в одну из пятниц я тебе о ней расскажу.

— Это когда мы пойдем «К Доминику»...

— Пойдем, куда захочешь, я же обещал.

Он налил мне еще чашку ромашкового чая.

— А Матильда что делала все это время?

— Не знаю... Работала. Ее взяли в ЮНЕСКО переводчицей, но оттуда она быстро ушла — ей не нравилось переводить всю их дипломатическую казуистику. Не выносила, когда ей приходилось сидеть целый день взаперти и талдычить одно и то же, переливая из пустого в порожнее — обычное дело для политиков. Она предпочитала деловые круги, там адреналин бил через край. Она путешествовала, навещала братьев, сестер и друзей, разбросанных по всему миру. Какое-то время жила в Норвегии, но тамошние голубоглазые аятоллы ее тоже раздражали, к тому же она все время мерзла... А когда ей надоедала постоянная смена часовых поясов, она сидела в Лондоне и занималась техническим переводом. Она обожала своих племянников.

— А кроме работы?

— А, вот ты о чем... Тайна, покрытая мраком. Видит бог, я пытался выяснить — и не раз... Но она закрывалась, хитрила, увиливала от моих вопросов. «Оставь мне хотя бы это, — говорила она, — позволь мне хоть в этом сохранить достоинство. Достоинство женщин с *Back Street*. Я ведь не о многом тебя прошу, правда?» А иногда она отплачивала мне моей же монетой, мучила, смеясь: «Я разве тебе не говорила, что месяц назад вышла замуж? Как глупо — хотела показать тебе фотографии, но забыла взять с собой. Его зовут Билли, звезд с неба не хватает, но так обо мне заботится...»

— Вас это веселило?

— Нет. Не слишком.

— Вы ее любили?

— Да.

— Как сильно?

— Я ее любил.

— А что у вас осталось в памяти от тех лет?

— Жизнь пунктиром... Ничего. Кое-что. Ничего нового. Опять кое-что. И снова ничего... Вот почему все пролетело так быстро... Сейчас мне кажется, наш роман длился месяца три... А может, и того меньше... Так, дуновение ветра, мираж... Нам недоставало повседневности. Думаю, именно от этого Матильда больше всего и страдала... Знаешь, я мог только догадываться, но однажды вечером, после долгого рабочего дня, внезапно получил подтверждение.

Когда я вернулся, она сидела перед маленьким секретером и что-то писала на фирменной бумаге отеля — перед ней лежало не меньше десяти страниц, исписанных ее мелким, убористым почерком.

— Кому это ты пишешь? — спросил я, заглядывая ей через плечо.

— Тебе.

— Мне?

«Она меня бросает», — промелькнуло у меня в голове, и мне сразу стало плохо.

— Что с тобой? Ты ужасно бледный. Тебе нехорошо?

— Почему ты мне пишешь?

— Вообще-то это даже не тебе, я просто пишу, чем бы мне хотелось с тобой заняться...

Исписанные листки валялись повсюду — у ее ног, на кровати. Я взял один наугад:

*...ездить на пикник, спать после обеда на берегу реки, есть персики, креветки, круассаны, слипшийся рис, плавать, танцевать, покупать себе туфли, белье, духи, читать газету, глазеть на витрины, ездить на метро, следить за временем, пихать тебя в постели, чтобы ты подвинулся, стелить белье, ходить в Оперу, съездить в Бейрут, в Вену, посещать бега, ходить за покупками в супермаркет, готовить барбекю, злиться, потому что ты забыл уголь, чистить зубы одновременно с тобой, покупать тебе трусы, стричь газон, читать газету из-за твоего плеча, от-*

нимать у тебя арахис, ходить по погребкам на Луаре и в Хантер-Вэлли тоже, идиотничать, трепаться, познакомить тебя с Мартой и Тино, собирать ежевику, готовить еду, съездить еще раз во Вьетнам, поносить сари, будить тебя, когда ты храпишь, сходить в зоопарк, на блошиный рынок, поехать в Париж, в Лондон, в Мелроуз, на Пикадилли, петь тебе песенки, бросить курить, попросить тебя постричь мне ногти, покупать посуду и всякую ненужную всячину, есть мороженое, смотреть на людей, выиграть у тебя в шахматы, слушать джаз, регги, танцевать мамбу и ча-ча-ча, скучать, капризничать, дуться, смеяться, щекотать тебя, приручить тебя, подыскать дом с видом на луг, где пасутся коровы, нагружать доверху тележки в супермаркетах, побелить потолок, сшить шторы, часами сидеть за столом с интересными людьми, дергать тебя за бородку, постричь тебе волосы, полоть сорняки, мыть машину, любоваться морем, перебирать барахло, звонить тебе снова и снова, ругаться, научиться вязать и связать тебе шарф, а потом распустить это уродство, подбирать бездомных кошек, собак, попугаев, слонов, брать напрокат велосипеды и не кататься на них, валяться в гамаке, перечитывать бабушкины комиксы 30-х годов, перебирать платья Сюзи, пить в тенечке «Маргариту», жульничать, научиться гладить утюгом, выбросить утюг в окно, петь под дождем, сбегать от туристов, напиться, выложить тебе все начистоту, а потом вспомнить, что этого делать нельзя, слушать тебя, держать тебя за руку, подобрать утюг, слушать пес-

*ни, ставить будильник, забывать чемоданы, остано-*
*виться на бегу, выбрасывать мусор, спрашивать, лю-*
*бишь ли ты меня по-прежнему, ссориться с соседкой,*
*рассказывать тебе о моем детстве в Бахрейне, опи-*
*сывать перстни моей няньки, запах хны и шариков ам-*
*бры, делать наклейки для банок с вареньем...*

И все в том же духе страница за страницей. Страница за страницей. Я перечислил тебе, что пришло в голову, что вспомнил. Это было невероятно.

— И как давно ты этим занимаешься?

— Начала, как только ты ушел.

— Но зачем?

— Потому что мне скучно, — веселым тоном ответила она, — представь себе — я умираю от скуки!

Я подобрал странички и уселся на край кровати, чтобы разобраться. Я улыбался, но на самом деле столько желаний, такая энергия меня парализовали. И все-таки я улыбался. Она умела находить такие забавные слова, такие остроумные... Она ждала моей реакции. На одной из страниц между «*начать все сначала*» и «*наклеивать в альбом фотографии*» я прочел «*ребенок*», вот так просто, безо всяких комментариев. Я продолжал изучать ее бесконечный список, ни слова не говоря, а она кусала губы.

— Ну как? — Она затаила дыхание. — Что скажешь?

— Кто такие Марта и Тино? — спросил я вместо ответа. По тому, как дрогнули ее губы, поникли плечи и упала рука, я понял, что очень скоро потеряю ее. Задав этот идиотский вопрос, я сунул голову в петлю. Она ушла в ванную и, прежде чем закрыть, дверь крикнула: «Хорошие люди!» Вместо того чтобы догнать ее, броситься ей в ноги, сказать: «Да! Конечно. Все, что захочешь, потому что я и живу-то на этой земле лишь для того, чтобы сделать тебя счастливой», я отправился на балкон покурить.

— И что потом?

— А ничего. Она хмурилась. Мы спустились в ресторан поужинать. Матильда была очень хороша. Прекрасна, как никогда, — так мне казалось. Такая живая, такая веселая. Все на нее смотрели. Женщины оборачивались, а мужчины мне улыбались. Она... как бы тебе это объяснить... она вся светилась... Кожа, лицо, улыбка, волосы, движения — она притягивала свет, вбирала его в себя и отражала с невероятным изяществом. Это смешение жизненной силы и нежности озадачивало меня. «Ты прекрасна», — признавался я, а она пожимала плечами. «У тебя глаза сияют». «Да, — соглашалась она, — сияют...»

Когда я вспоминаю ее сегодня, спустя столько лет, то прежде всего именно такой — длинная шея, темные глаза, маленькое коричневое платье — она пожимает плечами в австрийском ресторане.


Знаешь, она не случайно была так хороша и обаятельна в тот вечер. Прекрасно знала, что делает: хотела, чтобы я запомнил ее именно такой. Возможно, я ошибаюсь, хотя не думаю... Это была ее лебединая песня, прощание, взмах платком из окна. Она была так умна, что просто не могла этого не осознавать... Даже ее кожа в этот день была нежнее, чем всегда. Понимала ли она? Что это было — благородство или жестокость? Думаю, и то и другое... И то и другое...

В ту ночь, после ласк и стонов, она спросила:

— Могу я задать тебе вопрос?

— Да.

— Ты ответишь?

— Да.

Я открыл глаза.

— Тебе не кажется, что нам хорошо вместе?

Я был разочарован — ждал чего-то более... ну... оригинального.

— Да.

— Ты согласен?

— Да.

— Мне кажется, нам хорошо вместе... Я люблю быть с тобой, потому что никогда не скучаю. Даже когда мы не разговариваем, даже когда ты до меня не дотрагиваешься, даже если мы в разных комнатах, я не скучаю. Я вообще никогда не скучаю. Наверное, потому, что я тебе доверяю, тебе и твоим мыслям. Понимаешь? Я люблю в тебе все, что вижу, и то, чего не вижу. А ведь я вижу твои недостатки. Но, знаешь, мне кажется, твои недостатки дополняют мои достоинства. Мы боимся разных вещей. Даже наши демоны уживаются вместе! Ты лучше, чем хочешь казаться, я — наоборот. Мне необходим твой взгляд, чтобы... чтобы быть материальней, что ли. Как это по-французски? Устойчивей? Как говорят, когда человек интересен своим внутренним миром?

– Глубиной?

– Точно! Я похожа на воздушного змея – если кто-нибудь не держит в руках катушку, я – пфффр – и улетаю... А ты... знаешь, это забавно, ты достаточно силен, чтобы меня удержать, но при этом тебе хватает ума отпускать меня на волю...

– Зачем ты все это мне говоришь?

– Хочу, чтобы ты знал.

– Но почему сейчас?

– Не знаю... Разве это так уж невероятно – встретить человека и сказать себе: мне с ним хорошо.

– И все-таки, почему именно сейчас?

– Да потому, что мне порой кажется – ты не осознаешь, как нам повезло...

– Матильда...

– Да?

– Ты меня бросишь?

– Нет.

– Ты несчастна?

– Не слишком.

И мы замолчали.


На следующий день мы отправились бродить по горам, а еще через день разъехались – каждый в свою сторону.


Мое питье остывало.

– Это все?

– Почти.

— Прошло несколько недель, и она приехала в Париж. Позвонила и попросила уделить ей немного времени. Я был счастлив и одновременно раздосадован. Мы долго бродили, почти не разговаривая, а потом я повез ее обедать на площадь, на Елисейские Поля.

Когда я наконец осмелился взять ее руки в свои, она меня огорошила:

— Пьер, я беременна.

— От кого? — спросил я, бледнея.

Она поднялась, просияв.

— Ни от кого.

Она надела пальто, оттолкнула стул, сияя улыбкой.

— Благодарю тебя, ты произнес именно те слова, которых я ждала. Да-да, я проделала весь этот путь, чтобы услышать два этих слова. Это было слегка рискованно.

Я что-то мямлил, тоже хотел подняться, но зацепился за ножку стола... Она сделала мне знак:

— Не двигайся.

Глаза ее сверкали.

— Я получила то, что хотела. Мне никак не удавалось с тобой расстаться. Я не могу провести жизнь, ожидая тебя, но я... Да нет, ничего. Я должна была услышать эти слова. И увидеть твою трусость. Пощупать ее, понимаешь? Нет, не двигайся... Не вставай, говорю тебе! Не шевелись! Я сейчас уйду. Я так устала... Если бы ты знал, как я устала, Пьер... Я... я больше не могу...

Я встал.

— Скажи, ты отпустишь меня? Дашь свободу? Ты должен отпустить меня сейчас, должен дать мне уйти... — Она задыхалась. — Ты отпустишь меня, правда?

Я кивнул.

— Но ты ведь знаешь, что я тебя люблю, знаешь? — напоследок выговорил я.

Она была уже у двери и обернулась, прежде чем переступить порог. Пристально посмотрела на меня и отрицательно покачала головой.

*

Мой свекор встал, чтобы убить мошку на лампе.
Он вылил остатки вина в свой стакан.

— Это конец?

— Да.

— Вы ее не догнали?

— Как в фильмах?

— Да. Как в замедленной съемке...

— Нет. Я пошел спать.

— Спать?

— Да.

— И куда же?

— Домой, черт побери!

— Почему?

— На меня навалилась такая слабость, такая страшная усталость... Много месяцев меня днем и ночью преследовал образ засохшего дерева. Мне казалось, что я залезаю на это дерево и соскальзываю в дупло. Я падаю мягко, так мягко... Словно лечу на парашюте. Подпрыгиваю и падаю все ниже и ниже. Я постоянно об этом думал. На работе, за едой, в машине, засыпая. Взбирался на свое дерево и соскальзывал в дупло.

— Депрессия?

— Не надо громких слов, прошу тебя, не надо... Ты прекрасно знаешь, как это бывает у Диппелей, — усмехнулся он, — сама только что объясняла. Никаких эмоций, никаких слюней, соплей и желчи. Нет, я не мог позволить себе подобный каприз. Поэтому я заболел гепатитом. Это выглядело приличнее. Я проснулся утром, с белками лимонного цвета, отвращением ко всему и темной мочой — все как полагается. Тяжелый гепатит у человека, который много разъезжает, обычное дело.

В этот день меня раздевала Кристин.

Я не мог пошевелиться... Провалялся в постели месяц, мучаясь дурнотой, совершенно обессиленный. Когда мне хотелось пить, я ждал, чтобы кто-нибудь вошел и подал мне стакан, если было холодно — даже не мог натянуть на себя одеяло. Я перестал разговаривать. Запрещал открывать ставни. Я превратился в старика. Доброта Сюзанны, собственное бессилие, перешептывание детей... все меня изматывало. Почему нельзя раз и навсегда закрыть дверь и оставить меня наедине с моим горем? Интересно, Матильда пришла бы, знай она... Интересно... О Боже... Я так устал. Воспоминания, сожаления и собственная трусость мучили меня все сильнее. Полуприкрыв глаза, борясь с приступами тошноты, я размышлял, какой катастрофой обернулась моя жизнь. Счастье было у меня в руках, а я упустил его, чтобы не осложнять себе существование. А ведь все было так просто. Достаточно было протянуть руку. Все остальное так или иначе устроилось бы. Все всегда устраивается, когда ты счастлив, согласна?

— Не знаю.

— А я знаю. Можешь мне поверить, Хлоя. Я не слишком хорошо разбираюсь в жизни, но в этом я уверен. Я не такой уж проницательный, но я вдвое старше тебя. Вдвое, понимаешь? Жизнь, даже если ты ее отвергаешь, даже если пренебрегаешь ею, всегда оказывается сильней тебя. Она сильнее всего. Люди возвращались из лагерей и заводили детей. Мужчины и женщины, которых жестоко пытали, которые видели, как умирают их близкие, как горят их дома, снова бежали за автобусом, обсуждали прогноз погоды и выдавали замуж дочерей. Это невероятно, но это так. Жизнь сильнее всего. Да и потом, кто мы такие, чтобы придавать собственным персонам столько значения? Мы суетимся, кричим... Зачем? К чему?

Что сталось с малышкой Сильви, ради которой Поль умер в этом доме? Что с ней случилось?

Огонь вот-вот погаснет...


Он встал, чтобы подбросить в камин полено.


А я сидела и думала — при чем тут я?
Что происходит с моей жизнью?


Он стоял на коленях перед камином.

— Ты веришь мне, Хлоя? Веришь, когда я говорю, что жизнь сильнее тебя?

— Конечно...

— Ты мне доверяешь?

— Как когда...

— А сегодня?

— Да.

— Тогда лучше иди спать.

— Вы больше никогда ее не видели? Не пробовали что-нибудь о ней узнать?

Он вздохнул.

— Тебе не надоело?

— Нет.

— Конечно, я звонил ее сестре, я даже ездил к ней, но это ни к чему не привело. Птичка улетела... А я даже не знал, в каком полушарии ее искать... К тому же обещал оставить ее в покое. В одном мне не откажешь — я играю по правилам.

— То, что вы говорите, полный идиотизм. Дело было вовсе не в том, чтобы играть по правилам. Какая разница, красиво вы проигрываете или нет? Абсолютно дебильное оправдание, дебильное и инфантильное. И вообще, это ведь была не игра... Или я ошибаюсь?

Он развеселился.

— Нет, я решительно за тебя не беспокоюсь, старушка. Ты и представить себе не можешь, как я тебя уважаю. В тебе есть все, чего я лишен, ты — моя добрая великанша, и твой здравый смысл спасет нас всех...

— Вы пьяны, да?

— Да ты что, смеешься надо мной? Никогда не чувствовал себя лучше!

Он встал, держась за каминную доску.

— Пойдем-ка спать.

— Вы не закончили...

— Хочешь еще мой послушать треп?!

— Да.

— Почему?

— А я люблю красивые истории.

— Ты находишь мою историю красивой?

— Да.

— Я тоже...


— Вы ведь виделись с ней снова, правда? В Пале-Рояле?

— Откуда ты знаешь?

— Вы сами мне сказали!

— Да неужели? Я так сказал?

Я кивнула.

— Что ж, тогда это будет последний акт пьесы...

В тот день я пригласил клиентов в «*Grand Véfour*». Франсуаза заказала там столик. Марочное вино, реверансы и политесы — обед был скучным. Если я что и ненавидел, так это такие вот обеды. Сидишь часами за столом с людьми, на которых тебе плевать, поддерживаешь шутливую беседу, заодно ведешь деловые переговоры... Кроме того, я никак не соответствовал компании из-за проблем с печенью. Долгое время я не пил ни капли и с пристрастием допрашивал официантов, из чего состоит каждое блюдо. В общем, тот еще зануда... Кстати, я вообще не слишком люблю мужские компании. С мужчинами мне скучно. Ничего не изменилось со студенческих времен. Бахвалы остались бахвалами, а подхалимы подхалимами...

Итак, я стоял перед дверьми ресторана, слегка отяжелевший и усталый, стряхивая пепел с очередной трубки и мечтая о том моменте, когда можно будет ослабить ремень на животе, и вдруг увидел Матильду. Она шла очень быстро, почти бежала, и тащила за руку недовольного мальчугана. «Матильда», – прошептал я. И увидел, как она побледнела. И даже пошатнулась. Но не остановилась. «Матильда! – повторил я уже громче. – Матильда!» Я кинулся вдогонку. «Матииильда!» Я почти вопил. Мальчик обернулся.

Я пригласил ее выпить кофе. Ей не хватило сил отказаться... Она была все еще так прекрасна. Я пересиливал себя. Вел себя неловко, глупо, пытался шутить. Мне приходилось нелегко.

Где она живет? Почему вдруг оказалась здесь? Просил ее рассказать о себе. Как у нее дела? Неужели она живет здесь? В Париже? Она неохотно отвечала. Ей было не по себе, она грызла кончик чайной ложечки. Я все равно ее не слушал – я больше ее не слушал. Я смотрел на маленького белокурого мальчугана, который собрал со всех столов недоеденный хлеб и бросал крошки птицам. Он сделал две кучки – одну для воробьев, другую для голубей – и с упоением командовал своими подданными. Голуби не должны были есть мелкие крошки. «*Go away you!* – кри-

чал он, поддавая птиц ногой. – *Go away you stupid bird!*»[1].
В тот момент, когда я повернулся к его матери и открыл было рот, она оборвала меня:

– Не трудись, Пьер, не трудись. Ему нет пяти... Нет, понимаешь?

Я закрыл рот.

– Как его зовут?

– Том.

– Он говорит по-английски?

– Да, по-английски и по-французски.

– У тебя есть еще дети?

– Нет.

– Ты... Ты... Я хотел спросить... ты живешь с кем-нибудь?

Она поскребла ложкой по дну чашки и улыбнулась.

– Мне пора. Нас ждут.

– Уже?

Она встала.

– Я могу вас подвезти куда-нибудь, я...

Она взяла сумку.

– Прошу тебя, Пьер...

Тут-то я и сломался. Я сам от себя этого не ждал. Я плакал в три ручья. Я... Этот мальчик был моим мальчиком. Это я должен был учить его гонять голубей, подбирать с пола его свитерок, надевать кепочку! Все это должен был делать я. Я понимал, что Матильда лжет. Этому малышу было явно больше четырех. Я все-таки не слепой! Я точно знал, что она мне лжет. Только зачем?! И почему со-

---

[1] «Убирайтесь прочь, вы, глупые птицы!» (*англ.*)

лгала вообще? Так нельзя! Нельзя... Она не имеет права. Я рыдал. Я хотел ей сказать...

Она оттолкнула стул.

— Я ухожу. Я свое отплакала.

— И что потом?

— Потом я тоже ушел...

— Вы не поняли — я хотела спросить, как все было дальше с Матильдой.

— Все было кончено.

— Кончено? Как это — кончено?

— Кончено.

Мы долго молчали.

— Она лгала?

— Нет. Я потом присмотрелся, сравнил с другими детьми, с твоими девочками... нет, думаю, она не лгала. Современные дети такие крупные... Вы ведь столько витаминов впихиваете в их детское питание... Иногда я о нем думаю. Теперь ему, должно быть, лет пятнадцать... Он, наверное, великан, этот парень.

— Вы никогда не пытались снова с ней увидеться?

— Нет.

— А сейчас. Возможно...

— Сегодня все кончено. Сегодня я... Даже не знаю, способен ли еще хоть на что-нибудь...

Он заслонил камин экраном.

— Я больше не хочу об этом говорить.

Закрыл входную дверь на ключ, погасил все лампы.

Я все сидела на диване.

— Давай, Хлоя... Ты видела, который час? Ложись немедленно.

Я не отвечала.

— Ты меня слышишь?

— Так, значит, любовь — это бред? Так? И всегда кончается одним и тем же?

— Вовсе нет. Только нужно бороться...

— Как именно?

— Потихоньку. Делать каждый день маленький шажок, иметь мужество быть собой, решить, что будешь сча...

— Ну и ну! Кто бы говорил! Просто Паоло Коэльо...

— Смейся, смейся...

— Быть собой — значит бросить жену и детей?

— А кто говорит о детях?

— Не надо, умоляю. Вы прекрасно знаете, что я хочу сказать...

— Нет.

Я снова заплакала.

– Уходите! Оставьте меня. Я сыта вашей добротой по горло. Не могу больше. Вы меня перекормили, мистер Заживо Ободранный, перекормили...

– Ухожу, ухожу. Когда меня так мило просят...

Уже стоя в дверях, он обернулся и спросил:

– Могу я рассказать тебе напоследок одну историю?

Я больше не хотела никаких историй.

– Однажды, очень давно, я отправился в булочную с моей маленькой дочерью. Я редко водил ее за руку и еще реже оставался с ней один. Кажется, это было воскресное утро, в булочной было много народу, люди покупали булочки и меренги. Когда мы выходили, дочка попросила у меня горбушку. Я отказал. Нет, сказал я, нет. Когда сядем за стол. Мы вернулись домой и сели обедать. Маленькое дружное семейство. Я всегда сам резал хлеб – это была моя обязанность. Я хотел сдержать обещание, но, когда протянул горбушку дочке, она отдала ее брату.

– Но ты же хотела...

– Тогда хотела, – отвечала она, разворачивая салфетку.

– Но у горбушки тот же самый вкус, – настаивал я, – тот же самый...

Она отвернулась.

– Нет, спасибо.

– Я сейчас уйду спать и оставлю тебя сидеть в темноте, раз ты так хочешь, но, прежде чем погасить свет, задам один вопрос. Не тебе, не себе, а в пространство. Возможно, маленькая упрямая девочка предпочла бы иметь более счастливого отца?

Анна Гавальда
# Я ее любил / Я его любила
Роман

*Права на издание приобретены*
*при содействии А. Лестер*

Составитель серии *Т. Позднева*
Редактор *М. Архангельская*
Корректор *Н. Меркулова*
Компьютерная верстка *Л. Синицина*

Художественное оформление серии:
«BoomBooks»

Холдинг «Городец»
**ООО ИД «Флюид»**
109382, Москва, ул. Краснодонская, д.20, корп. 2
тел./факс: (495) 351-5590, 351-5580
e-mail: fluid@gorodets.com

Отпечатано в ОАО «Тверской ордена Трудового Красного Знамени
полиграфкомбинат детской литературы им. 50-летия СССР».
170040, г. Тверь, проспект 50 лет Октября, 46.